文春文庫

鮎師

夢枕獏

目次

単行本　一九八九年四月　講談社刊
一次文庫　一九九二年六月　講談社文庫刊

鮎師

黒《くろ》水《すい》仙《せん》

1

陽光は明るかったが、川面《かわも》を吹いてくる風は、冷たかった。

十二月の五日——

初冬である。

風の中には、すでに、六月の頃のあの匂いはない。

あの匂い——ふたつに割ったばかりの西瓜《すいか》の香りに似た、あの鮎の匂いのことである。

鮎は、別名香魚《こうぎょ》とも呼ばれるほど、独特の香りを持っている。鮎釣り解禁時の六月の川面を渡る風の中には、遡上《そじょう》して群れている鮎の香《か》が、微《かす》かに溶けている。

菊村敬介《きくむらけいすけ》は、無意識のうちに、風の中にその匂いを捜していたのである。

空を映《うつ》して、水面が青い。

菊村は、竿《さお》を出しながら、その水面を滑ってゆく赤い浮子《うき》を眺めていた。

対岸の向こうには、箱根外輪山が見えている。

菊村は、今年三十八歳になる。

小田原市内で、カメラ店を経営しているのだが、毎年、鮎の時期になると、もうたまらずに、店を妻の美智子と店員の高橋にまかせ、早川《はやかわ》に竿を出す。

それが、十月十四日の鮎釣り解禁期間の最終日まで続くのである。そこで、いったん鮎釣りは中断することになるのだが、落ち鮎釣りの始まる十二月になると、また、竿を出すことになる。

十二月三十一日の大晦日で、ようやく、その年一年の鮎釣りが終るのである。

菊村が竿を出しているのは、早川の下流部であった。

流れはゆるやかだった。

箱根の芦《あし》ノ湖《こ》に源を持つ早川は、海から十キロも遡《さかのぼ》らないうちに、渓流の相をなす。

しかし、河口《かこう》に近いこの場所では、流れはゆったりとしている。

一見平らに見える水面も、よく見れば大小様々の起伏がある。

川底に存在する石の起伏が、水面上に無数の渦の襞《ひだ》を造り、それ等《ら》が溶け合い、よじれ合って、ひとつの流れとなっているのである。

それに、風が加わって、さらに複雑な相を、川の表面に造る。

一見は青いだけに見える水面にも、ほとんどあらゆる色が溶けていた。

岸の、立ち枯れた草の色や、岩の色、雲の白や、山の青や、周辺の家の赤い屋根の色、橋の上を歩いてゆく人間の服の色までが、そこにある。

赤い浮子が、下流の水面に顔を出している岩の手前で、小さく沈んだ。

軽く合わせると、鈍い手応えがあって、浮子が、一瞬上流に向かって走る。

カーボン竿の竿先がしなう——。

が、すぐに魚の抵抗は止んでいた。

あっけなく魚が上がってきた。

菊村のやっているのは、毛鉤《けばり》を使った、ちんちん釣りと呼ばれる小田原近辺で盛んな釣法である。ミチイトに、幾つかの毛鉤をつけ、一番下方に嚙みつぶしのガンダマをつけ、浮子の魚信《あたり》をみて鮎を釣りあげる。

鮎がかかったのは、一番下の鉤の暗烏《やみがらす》であった。昨年の同じ時期には、赤系統のお染《そめ》や赤熊《あかぐま》にかなり喰いついてきたのに、今年は黒い鉤によく鮎がかかる。その前の年には、毛鉤よりも、シラスなどを使った餌釣りの方がよく釣れた。毎年、鮎の好みが変化する。鮎を始めて十五年になるが、その辺のことが、菊村にはいまだによくわからない。

釣れたのは、十八センチ級《クラス》の鮎であった。この級の鮎の引きが、こんなものかと思えるほどである。

むろん、十二月の落ち鮎に、夏の引きを望むべくもない。

痩《や》せた鮎であった。

菊村の手の中で、力なく尾を打つだけである。全身に黒く錆《さび》が浮いていた。産卵を済ませた鮎の腹は、哀れなほどに薄い。

三月あたりから遡上を始めた鮎は、上流で成魚となって夏をすごし、九月の半ばあたりから、ひと雨ごとに下流域に下り始める。河口に近い水底で産卵するためである。

これが落ち鮎である。

産卵を済ませた鮎は、年の明けるのを待たずに、ほとんどが死んで、海へと押し流されてゆく。それで、きっちり一年の生涯を終えるのだ。鮎が年魚《ねんぎょ》とも呼ばれるのはそのためである。

川に漬けてある魚籠《びく》の中に鮎を入れ、顔を上げた菊村は、小さく眼を細めていた。対岸の下流に、見覚えのある人間の姿を見つけたのである。

初老と、そう呼んでもおかしくないくらいの男であった。

その男は、石の上に腰を下ろし、膝を抱えて、凝《じ》っと川の中を覗き込んでいた。額が禿《は》げあがっており、遠眼にも、残り少ない髪が、風にそよいでいるのが見える。薄茶のズボンをはき、この時期にはやや寒そうな、灰色の上着を着ていた。

その男の周囲には、釣り人はいない。

見渡せば、この下流域には、三十人近い釣り人がいる。

その男がいるのは、早川の一番下流にある橋、荒久橋《あらくばし》よりも下流であった。

菊村とその男との間の頭上には、荒久橋がかかっており、この橋よりも下流は、釣りが禁止されているのである。

菊村のいる場所よりやや上流の対岸から、下流に向かって中州状に河原がせり出しており、その中州と対岸とにはさまれて、大きなよどみができている。

落ち鮎の多くは、いったん海に近い場所まで下ってから、中州の先を回り込んで、そのよどみに入り込む。

よどみの一番上流部分は、荒久橋よりも上流になっているため、釣りは許可されているが、下流部分は、荒久橋よりも下流域になるため、釣りは許可されてはいない。

男が座っているのは、その許可されていない下流域の岩の上であった。

どこで会ったのか？

菊村は、それを思い出そうとした。

かなり、奇妙な出会い方であったと思う。

そこまで考えた時、ふいに菊村は思い出していた。

——あの時の男か。

今年の八月。

場所は、同じ早川の上流、風祭《かざまつり》のあたりである。

その時のことが、菊村の脳裏にはっきりと蘇《よみがえ》った。

2

——八月の半ば。

その日も快晴であった。

菊村は、早朝、日の出前から川に入り、浮子がまだよく見えないうちから釣り糸を垂れていた。

六時前後からよく浮子が沈み始め、七時をまわる頃には、二十尾以上を釣りあげていた。青ライオンの黄角《きづの》によく魚信《あたり》がきて、半数以上はその鉤で釣りあげた。

ちんちん釣りである。

以前に、やはり小田原市内を流れる酒匂川《さかわがわ》で何度か友釣りをやったことがあったのだが、ここ数年はこの早川専門に通っている。ちんちん釣りのおもしろさを知ってしまったからであった。おもしろさ、というよりは、友釣りに比べて、身軽に、自由に竿を出せるのが菊村にはありがたかった。

友釣りは、長い竿を使う。ちんちん釣りに比べて、道具も多くなり、仕掛けもめんどうになってくる。川に出かけてすぐに竿を出し、帰る時にすぐ竿をおさめてそのままというわけにはいかない。

友釣りで釣果《ちょうか》をあげられず、次に始めたちんちん釣りでいきなり大量に鮎を釣ってしまったことも、ちんちん釣りにのめり込んだ原因のひとつとして、ある。

もうひとつには、菊村は、魚の口ではない場所に鉤を掛けて釣るというやり方に、どうにも馴染めなかったのである。

友釣りは、自分の縄張り内に侵入してくる仲間を攻撃するという鮎の習性を利用した釣りで、囮鮎《おとりあゆ》に向かってくる縄張り鮎の身体に鉤を引っかけて釣る釣り方である。

普通は、まずちんちん釣りを始めてから、ひと通りそのおもしろさを味わい、その後に友釣りに入ってゆくというケースが多い。

菊村は逆のケースであった。

友釣りが嫌いというわけではなく、ちんちん釣りの方が、自分の性分に合っているようだと、菊村は自分では思っている。

それとも、ちんちん釣りに慣れすぎて、今さら他の釣りを覚えるのがやっかいであるだけなのかもしれない。機会さえあれば、もう一度友釣りを始めてみようという気もないわけではないのだが、たまたまその機会がこれまでなかったということもある。

知り合いの人間の中には、菊村に友釣りのおもしろさを教えたくてうずうずしている人間もいて、その気になりさえすれば、機会は自分で造れるのだが、とりあえずちんちん釣りに不満があるわけではなく、今の状態が続いているというところであった。

十時に近くなって、魚信が止まった。

それまではぽつりぽつりとあがっていた鮎が、さっぱりあがらなくなった。

陽差《ひざ》しがかなり強くなっている。

菊村は、フェルト底のウェットタイツをはいて、川に入っていた。水流が、そのウェットタイツの膝のやや上あたりを洗っている。

菊村は、迷っていた。

そろそろ納竿《のうかん》しようと思うのだが、そのきっかけがつかめないのである。

あと一尾あげたら――。

そう思いながら、一尾釣れてしまうと、また魚信のリズムがもどって喰いが始まったかと、また浮子を流す。しかし、釣れたのはその一尾だけで、やはり喰いは遠のいたままである。やめようとすると、またぽつりとあがる。

なかなかやめるきっかけをつかめなかった。

浮子よりも、周囲の風景に目をやることが多くなった。他の釣り人はどうか。自分だけが釣れなくて、他の人間は釣れているのではないか。

そんなことが気になってくる。

上流や下流の人間に視線を送ってみると、やはりどこもあがってはいない。朝方はちんちん釣りをしていたはずの釣り人のほとんどが、今は友釣りに変わっている。ちんちん釣りであげた鮎の、型《かた》のいいものを囮《おとり》にして、昼は友釣りに切り換えるのが、早朝から、一日鮎を釣りに来ている人間のやり方であった。

時おり周囲に眼をやっていた菊村は、奇妙な男が、独《ひと》りいることに気がついた。

その男は、服装こそ、鮎を釣る人間のそれであったが、竿を手にしていないのである。

川の中に入ってはいるが、手に持っているのは、釣りの道具ではなかった。

その男は、下流から、流れの中を、ゆっくりと上《のぼ》ってくるのであった。股下まである

バカ長をはいていた。

半袖のシャツを着て、頭にはスゲ笠をかぶっている。

手に奇妙なものを持っていた。

木でできた箱形のもの——。

箱眼鏡《はこめがね》らしかった。

箱眼鏡というのは、木製の箱の底に、ガラス板を張ったもので、水中を見るための道具である。

その箱眼鏡で、水中を覗きながら、男は川を上ってくるのである。しかし、その上り方も、真《ま》っ直《す》ぐではない。

水中を覗きながら、川を横断する形に対岸に渡る。対岸に渡ってから、今横断した場所より二メートルほど上流へ移動し、また、もといた岸の方に向かって流れの中を横断する。その時にも、やはり箱眼鏡で水中を覗く。

男は、それを繰り返しているのである。

途中には、かなり深い場所もある。

時おり、水底の石に足を取られ、かなり大きくバランスを崩す。見ている方が冷や汗が出そうだった。

バカ長は、いったん水中で転ぶと、かなり厄介《やっかい》なしろものとなる。股の所から、長靴の中へ大量の水が浸入し、水の抵抗が増して足が重くなり、自由な動きがとれなくなる。

菊村も、以前はバカ長を使っていたのだが、一度、川の中ほどで転んでひどい目に遭っている。竿を流し、せっかく釣った鮎の入った魚籠《びく》まで流してしまった。

それにこりてから、ウェットタイツに変えている。

下流から、川を左右に横断しながら上ってくる男は、かなりの年輩らしかった。

さすがに、他の釣り人がねらっているポイントは避けているが、それでもかなりそのポイント近くまで入り込み、箱眼鏡で覗く。

その男が、だんだんと菊村の竿を出しているポイントまで近づいてくる。

いいきっかけができたと、菊村は納竿することにした。

ポイント近くに踏み込まれていやな思いをするよりも、その前に帰ることにしたのである。

ならば最後の一投と、竿を振り込んだ。

菊村よりやや下流に、水中からわずかに顔を出している岩がある。そこがかなりのポイントになっているのである。

上流からそのポイントまで流れてきた浮子が、いきなり沈んだ。赤い浮子にたちまち水がかぶさって、水中でその赤い色が揺れた。揺れはするが動かない。

根がかりであった。

何度か竿をあげて、根がかりを解こうとしたが、びくともしなかった。

舌打ちをして、菊村は、その根がかりした場所に向かって歩き出した。

岩か、水底に沈んでいた流木《りゅうぼく》か何かに引っかけたらしかった。安い毛鉤ではない。それが四本ついている。それを無駄にしたくなければ、直接自分の手ではずすしか方法はなさそうだった。

左手で竿尻を握り、ミチイトに沿わせて右掌《みぎて》を沈めてゆく。

かなり深い場所であった。

肩まで右腕が沈んだ。

上体をかがめているため、菊村のすぐ鼻先に、あの、水面に顔を出している岩があった。竿を握った拳《こぶし》をその岩にあて、指先を伸ばすと、やっと鉤に届いた。

水底の石に、流木が引っかかっており、その流木に、鉤がかかっていたのである。

鉤をはずした時、菊村は、どきりとするものを発見していた。

水中に沈んでいる岩の肌に、たくさんの、笹の形をしたものが見えていた。鮎の喰《は》み跡《あと》であった。

鮎は、小さな昆虫類など動物性のものも口にするが、主な食物は、水中の岩などに発生したラン藻《そう》や緑藻などの藻類である。

鮎は、その尖った顎《あご》と柔らかな歯で、水中でその藻類を岩や石からこそぐようにして食べるのである。その跡が、小筆でひと撫でしたような二条の笹の葉形の筋《すじ》となって岩の表面に残るのである。

しかし、菊村が驚いたのは、その無数の喰み跡を見たからではなかった。

その小さなたくさんの筋の中に、ひとつだけ、異様なほど大きな筋が、斜めに走っていたからである。

長さにして、二十センチ以上はあった。

平らな岩では、鮎の喰み跡が時には二十センチ以上になることも、ないわけではない。

だが、菊村の眼が吸い寄せられていたのは、その長さではなく、太さであった。

他の無数の喰み跡に比べ、その喰み跡は、倍以上も太かった。

五センチから六センチくらいはある。

長さが五〜六センチ、太さがせいぜい一センチ余りの喰み跡が無数についている石の表面を、下から上へ、その巨大な喰み跡が走っているのである。

他の小さな喰み跡を、まるで無視するかのように、悠々とその喰み跡が残っている。

大きな魚体を、ゆらりとひねりながら、その岩を舐《な》めていった巨鮎の銀鱗が見えるようであった。

——まさか!?

と、思う。

心臓が鳴った。

もしこれが鮎がつけたものなら、その鮎の大きさは——。

見当がつかなかった。

稀《まれ》に、この早川でも、三十センチを越える巨鮎が釣れることがある。菊村自身も、これまでに一度だけ、そのような鮎を釣ったことがある。その鮎は、三十二センチの体長があった。それを釣り上げた時にはむろん興奮したが、まだ、その鮎の大きさは、菊村の理解の範疇《はんちゅう》にあった。

しかし、今眼にしているものは、その理解を越えていた。

このような巨大な喰み跡を残す鮎が存在するとは思えなかった。

菊村は、腰をかがめたまま、水中の、その喰み跡を眺めていた。

ようやく上体を起こしても、まだその岩から眼が離せなかった。

——と。

菊村は、ふいに、自分の横に誰かが立っていることに気がついた。

あの、箱眼鏡を手にした男であった。

菊村が、根がかりした鈎と、巨大な喰み跡に心を奪われているうちに、いつのまにかその男がここまでやってきたのである。

近くで見ると、その男は、菊村が想像していたよりも老《ふ》けていた。

顔には深く皺《しわ》が刻まれており、ゆるんだ、紙のような黄色い皮膚《ひふ》が、顎の下に重なっていた。

昔、かなり肉のついていた身体が、齢《とし》をとって急に縮むと、このようになるのかもしれない。

スゲ笠の下から覗く髪には白いものが混じっていた。

その肌と同じ、濁《にご》った黄色い眼をしていた。

その男は、菊村の傍《そば》に立って、それまで菊村が見つめていた岩を眺めていた。眺めるというよりは睨《にら》んでいた。

凄い眼つきであった。

男の身長は、菊村よりも十センチは低い。百六十センチくらいであった。

その身体から、何かこわいようなものがゆらぎ出ていた。

「ここにいたか――」

低い声でつぶやいた。

探していたものをようやく見つけたという安堵《あんど》感と、男の肉体に張りつめたこわいようなものとが、男の声には等分に含まれていた。

男の眼は、水中の、あの巨大な喰み跡を見ていた。

菊村がそこにいるのに気づいてさえいないようであった。

菊村は、その雰囲気に押されながらも、思わず訊《たず》ねていた。

「いた？」

そう声をかけられて、初めて菊村の存在に気づいたように、男は菊村を見た。

眼が合った。

合った途端《とたん》に、男の黄色い眼の中に、おどおどとした表情が走った。

「え、ええ——」

男は曖昧《あいまい》なうなずき方をした。

「何がですか」

菊村が訊《き》くと、男は急に視線をそらせ、

「鮎だ……」

と、小さな声で言った。

菊村に背を向けていた。

話しかけられるのを拒否するような背中であった。

箱眼鏡で水中を覗きながら、ゆっくりと動き始めた。

その時、菊村は眼にしていた。

男が、背に差しているものをである。

男は、短くたたんだ竿を、腰の背中の側に差していた。

おさめたはずの竿先が、元竿の口から短く外へ出ていて、そこにテグスが結ばれていた。男は、竿に仕掛けを付けたまま、たたんで腰に差していたのである。その仕掛けそのものは、どうやら手製らしいコルクの板に巻きつけられ、ほどよい長さにされて、腰のベルトにはさんであった。

菊村は、奇妙な目つきで、その仕掛けを眺めた。

菊村が、初めて見る仕掛けであった。いや、正確に言えば、初めて見たのはその仕掛けではなく毛鉤であった。初めて見る毛鉤が、仕掛けを巻きつけたコルクの板に差してあったのである。

むろん、菊村とて、二千種類はあると言われている鮎用の毛鉤を全《すべ》て知っているわけではない。近くの湯河原の方では、化鉤《バケバリ》と呼ばれる特種な毛鉤を使っているし、手造りの毛鉤を使用している釣り人も多勢いる。

だが、その毛鉤の奇妙さは、特別であった。

まず、鉤が大きいのである。

普通、市販されている鮎用の毛鉤には、一・五号から二号くらいのものが使用されている。鉤の色は、金色か銀色で、鉤先にはかえしがない。

しかし、男の使用している毛鉤は、そのどれとも違っていた。

鉤の大きさは、五号から六号くらいに見える。鉤の色は、黒色で、しかもかえしがついていた。

どうやら、ヤマメ鉤の小型のものに、毛を巻きつけたものらしかった。

その使用されている毛も、奇妙だった。

鉤の胴に、胴毛として巻きつけてある毛が、黒なのである。普通、鮎用の毛鉤には、中金と呼ばれる帯が、根元近くに入っている。鉤の地金《じがね》の色を残したものだ。それも無いのである。元毛から角《つの》の根までが、全て黒色であった。

それだけではない。

ミノ毛と呼ばれる、金玉《こんぎょく》のすぐ下から下がっている房状《ふさじょう》の六本の毛も、黒であった。しかも、根元からふわりと下に下がっているはずの毛の一本ずつが、それぞれ場違いな方向にねじれているのである。

色が使用されているのは、角と呼ばれる部分だけであった。

黒く巻かれた胴毛の終ったあとに、鮮やかな黄色の角がある。

異様な鉤であった。

ハリスも、普通に使用される〇・二号から〇・三号の糸ではない。普通はミチイトに使用する〇・八号から一号くらいはありそうであった。

ミチイトは、一・五号くらいに見えた。

普通にこの川で釣れる鮎を対象とするには、仕掛けの何もかもが大きすぎた。

それだけのことを菊村が見てとったのは、わずかに数秒の間であった。

「ふん……」

菊村の視線を察知《さっち》したかのように、男は、川の中を覗いた姿勢のまま、そのコルク製の仕掛け巻を手の中に握り込んで、竿の位置を、菊村からは見えない自分の身体の死角にあたる場所に移してしまったのである。

3

あの時の男だ――と、菊村は、対岸にいる男の姿をあらためて見つめなおした。

男の姿は、猿のように小ぢんまりとして見えた。

男は、膝を抱えて、川を見つめていた。

菊村の脳裏に、忘れかけていた、あの巨大な喰《は》み跡《あと》が蘇っていた。

己《おの》れの存在を岩に刻みつけるように、太い銀色の腹をぎらりと青い水中にゆらめかせ、巨鮎が藻をその歯で削り取る様が眼に浮かんだ。

かつて、自分の眼で見たように、その光景を描くことができる。

眼が醒めている時には忘れている、深い夢の中で何度も見た光景を、今、ふいに思い出したようであった。

二時間後、菊村が竿をたたんだ時も、まだ、男はその場所に同じ姿勢で座っていた。

午後の陽を浴びて、ぽつんと岩の上に座っている男の姿が見える。

妙に、男のその姿が気になった。

納竿して、釣具と竿をザックに納めると、菊村は、それを肩にかけて魚籠《びく》を水から引きあげた。

四十尾近い鮎が、魚籠の中で跳ねる。

その震動が、手に伝わってくる。

しかし、夏の時期の鮎のような強い動きはない。どこか、気の抜けたような手応えが手の中にある。

菊村は、この日を、今年の竿納めにするつもりだった。落ち鮎釣りは一度と決めている。儀式のようなものだ。

やむにやまれず竿を出しに来てしまうのだが、竿を出している間中、妙なわびしさのようなものにつきまとわれる。

落ち鮎を釣るというのは、釣り終えた後にも不思議な感触の、実体のない石に似たものが腹の中に残ってしまうのだ。

はっきりしたものではない。

放っておいても、やがては死んでしまう鮎ではあったが、それをわざわざ釣るというのが、どこかむごいような思いがある。

人間の立場からの一方的な感傷かもしれないが、夏場の鮎を釣る時には、釣り人と鮎とは対等な関係にあるように思う。しかし、落ち鮎を釣るというのは、少し違うのではないか。それは、自然な死を迎えるという、生き物の最低の権利さえ奪ってしまうことのような気がする。

痩せ細り、色の錆びた、勢いのない鮎は、釣りを闘いという意味で捕えるなら、すでに闘わぬうちから敗れた敗者である。

その敗者を、何故、放っておいてやれないのか。

いや、敗者という言い方は適当ではない。敗者ではない、もう少し別のものだ。しかし、では、それが何であるかというと、適当な言葉を菊村は思い浮かべられなかった。

釣った鮎は喰う。

喰わねば釣った後に逃がす。

それだけを、菊村は、鮎釣りのルールとして自分に課している。

ぽつんと岩の上に座っている男が気になっているためか、菊村は余計なことまで考えているようだった。

冷たい風にさらされていたためか、身体がすっかり冷え込んでいた。

菊村は、胸のポケットから、ウィスキーの小瓶を取り出し、それを飲んだ。舌に触れたウィスキーの熱が、口から、喉、食道を通って胃まで降りてゆくのがわかる。

飲み終えて、瓶をポケットにしまいながら、菊村は、また男に眼をやった。

男に眼をやりながら、魚籠《びく》を手に取った。

魚籠が重いため、中の水を半分ほどこぼす。

こぼした時には、菊村は決心していた。

あの男の居る所まで、行ってみる気になっていた。

4

浅瀬の上に頭を出している石伝いに、菊村は対岸に渡った。

岸に転がる石や岩を踏みながら、ゆっくりと男の居る場所まで歩いてゆく。

かなり近くまで歩いて行っても、男は、菊村に気がつかなかった。

凝《じ》っと、水面を眺めている。

男が眺めている場所の水深は、一メートル以上ありそうだった。

男が気がついたのは、すぐ横に菊村が立ち止まった時であった。

ゆっくり菊村を振り向いた。

「こんにちは」

菊村が言った。

「――――」

男は、いぶかし気《げ》な眼つきで菊村を見ていた。

どこでこの男と知り合いになったのかと、そんなことを考えている顔つきであった。

「菊村敬介、といいます」

菊村が軽く頭を下げた。

「菊村？」

男も小さく頭を下げたが、まだ菊村の顔を思い出せない様子であった。

「八月に、この上流の風祭《かざまつり》でお会いしました――」

「風祭？」

「あの時、大きな鮎をねらって、川下から上っていらしたじゃありませんか」

菊村が、思いきって、〝大きな鮎〟とかまをかけると、男の顔に驚きの色が動いた。

「あの時の……」

ようやく思い出したらしい。

「そうです」

「どうして、わたしが大きな鮎をねらっていると――」

「あの時、仕掛けが眼に入りましたので――」

「仕掛けを見ましたか――」

「見たことのない毛鉤を、ひとつだけつけてました。鉤も大きいし、ミチイトもハリスもかなり太いのを使ってましたね」

菊村が言うと、男は、視線を逸《そ》らせてまた水面に眼をやった。

座った石の上から、何かを右手に取って、唇に運んだ。

ウィスキーのポケット瓶であった。

駅の売店で売っている、小さなやつである。量がかなり減っていた。

顎をあげ、放り込むようにして、男は中の液体を口に含んだ。

瓶を握ったまま、男は、ぽつりと言った。

「何か御用ですか」

「姿を見かけましたので——」

そこまで言ってから、菊村は次の言葉を発することができなくなった。

何をしに来たのか、自分でもはっきり目的があったわけではない。

「——釣れたのですか？」

沈黙の気まずさからのがれようと、菊村はそう言った。

「釣れたとは？」

「鮎ですよ。あの石に、凄い喰み跡が残ってるのを、ぼくも見ましたよ。早川に、あれほどの鮎がいるなんて、信じられませんがね——」

「信じなくたっていいさ」

男は言った。

「でも、いるんでしょう」

「——」

男は答えなかった。

またウィスキーを口に運んだ。

瓶が空《から》になっていた。

菊村は、上着のポケットに手を突っ込んだ。

「ウィスキーならぼくも持っていますよ」

先ほど飲んだ、ウィスキーの小さなボトルを取り出した。

「ぼくもね、冬場はなにしろ寒いんで、時々こいつを飲みながらやってるんです。飲みかけですが、よかったらこいつをどうぞ——」

男は、自分のボトルを石の上に置いて、菊村と、菊村の差し出したボトルとを交互に見つめた。

ふいに、手を伸ばしてくると、ひったくるように、菊村の手からボトルを受け取った。

蓋《ふた》を開けて、ボトルを唇に咥《くわ》えた。

かなりの量が、男の口の中に消えていた。

男が、ボトルを石の上に置きながら、視線をまた水面に移した。

しばらくの沈黙があった。

「聴きたいんだろ——」

水に眼をやったまま、男が口を開いた。

「え——」

「聴きたいんだろうが、あの喰み跡を造った鮎《やつ》のことをさ——」

菊村はうなずいた。

男が、小さく息を吐いた。

「あれも見られてるんじゃあな」

「あれ？」

「黒水仙《くろすいせん》さ」

「何ですか、その黒水仙というのは」

「あんたの見た毛鉤の名前さ」

「黒水仙というんですか」

「おれがつけたんだよ、自分で造った鉤だからね」

「――――」

「座んなよ」

ぶっきらぼうに言った。

菊村は、男の傍に腰を下ろした。

男と同じように、水に眼をやった。

水中に、青黒い岩が沈んでいるのが見えた。

冷たい風が水面を撫でると、わずかにそこにさざ波が立つ。

「ほら――」

男が、菊村に、ウィスキーのボトルを差し出した。

それを受け取って、菊村は、男が今唇をつけたばかりのボトルの口に唇をあて、ウィスキーを口の中へ流し込んだ。

ウィスキーの刺すような味が、舌に広がった。

菊村からボトルを受け取り、男が、またウィスキーを飲む。

「ブラジルの話なんだがね——」

ふいに男が言った。

眼は、青い水中に沈んでいる、岩に向けられたままであった。

「あんた、知ってるかい」

「何をですか」

「ブラジルっていうより、アマゾンだな——」

「アマゾン川ですか」

「ああ。そのアマゾン川のどこだか知らないんだけどね、支流のどこかに村があってさ。その村の人間はね、魚を捕って生活をしてるんだよ。その村でさ、白人の、それも赤毛の女のあそこの毛がね、結構いい値《ね》で売れるんだってさ。どうしてだと思う——」

男が、あの黄色く濁った眼を菊村に向けた。

「さあ」

「毛鉤に使うんだとさ」

「毛鉤に？」

「そうだよ。他の毛じゃ駄目なんだそうだ。赤毛の女のあそこの毛で造った毛鉤にだけ、不思議とヌクがかかるんだってよ」

「ヌク？」

「ピラルクを知ってるかい」

「世界一大きい淡水魚と言われているアマゾン川にいる魚ですね」

「ああ。そのヌクってのは、ピラルクの仲間でね、ピラルクほどじゃあないんだが、かなりでかい。捕れりゃあ、いい値で売れるんだが、こいつがなかなか釣れない。一番てっとり早いのは網で捕るか銛《もり》で突く方法なんだがね。それも結構たいへんなんだそうだ。それがこの、赤毛の女のあそこの毛で造った毛鉤で釣ると、かなりの確率で釣れるんだそうだ——」

「本当の話なんですか」

「釣りの雑誌に載っていた話の受け売りさ。本当かどうかなんて、わかるものか——」

少し黙ってから、男は、またウィスキーを口に運んだ。

「まだ、おれの名前も言ってなかったっけね、菊村さん——」

「——」

「黒淵平蔵《くろぶちへいぞう》っていうんだよ。それがおれの名前さ。頭も禿げかけてさ、こんなに皺が増えちまってるけどね、おれはまだ五十八歳なんだよ——」

男——黒淵平蔵は、苦《にが》いものを吐き捨てるように言った。

5

おれが結婚したのはね、八年前のさ、五十歳の時だよ。

相手の女はね、小夜子《さよこ》といってさ、おれと結婚した時は、三十六歳だったな。

よ。

出もどりだよ。

二十八の歳《とし》に結婚をして、その男の家に入ったんだけどね、子供がなかなかできなくてね、調べてもらったら、小夜子は子供ができねえ身体だって医者に言われたんだってよ。

で、亭主とも向こうの家ともさ、だんだん気まずくなって、三十四の歳に、おん出されるように離婚した女さ。

おれの方もね、こんなまずい面《つら》してるしね、昔、極道まがいのこともしてたしさ、臭い飯も食ったことあるしね、結婚なんてのはあきらめてたんだ。ところが、その小夜子って女が、どういうわけか、おれに惚れてくれてね。それでつい一緒になっちまったんだ。

鮎はね、ガキの頃からやってたよ。

この川でね。

極道やってる時も、鮎だけはやってた。極道のおれがさ、鮎の解禁日だけはきちんと守ってさ。

鮎をやれなかったのは、臭い飯を食っていた十四年間だけだったよ。だけということはないか、十四年だからね。

喧嘩で人を刺しちまって、それで十四年。相手は、病院で死んじまったんだけど、向こうも極道だったからね。極道どうしの喧嘩で十四年さ。アホみたいなもんだよ。

しかし、他の釣りがどうっていうわけじゃないんだけど、鮎ってのは、あれさ、ほら、禁断症状があるね。麻薬みたいにね。

しばらく釣ってないと、もうたまらなくなってね、出入りもすっぽかして行ったこともあったよ。極道としても、かなりハンパな人間だったね、おれは。

で、ム所でさ、田端って男と知り合ったんだけどね、こいつが土佐の人間でね、おれに輪をかけた鮎キチでさ。それでまあ、仲よくなったんだけどね。こいつとは、六年間一緒だったよ。

おれより後から入ってきて、先に出て行ったんだよ。

もっとも、向こうは極道じゃなかったよ。毛鉤職人さ。

この田端とは、鮎の話ばかりしてたなあ。

四国にゃ、四万十川《しまんとがわ》ってえ、いい鮎の川があるだろう。あそこがこの田端の縄張りでね、土佐鉤なんてのを、田端は造ってたんだよ。

おれが毛鉤の造り方を教わったのは、この田端からさ。

もっとも、ム所には、鉤も道具もないしね、もっぱら口でね、紙と鉛筆で図を描いたりしてね、そればっかり何度も教わったんだよ。それを六年間。馬鹿でも覚えちまうよ。楽しかったな。

同じ話を何べんもしたよ。

あんたなんかが想像できないくらい何べんもね。お互いに、大物を釣った時の話や、川の話をさ。

ム所を出たら、居場所を教えるから、四国まで鮎を釣りに来いって、そう言ってあいつは出て行ったけどね。連絡はなかったな。連絡があっても、きっとおれも行かなかったと思うしね。

そうだろ、いくら仲がいいったって、ム所で知り合った者どうしが、娑婆《しゃば》で面合《つら》わせたって、気まずい気分の方が多いにきまってるからね。

ム所に入っていて、一番辛《つら》かったのは、やっぱり鮎をやれなかったってことだね。女ともやりたかったけどね、どっちかといえば、おれは鮎だった。自由というのかね、鮎を釣ることが自由になることなんだって、ム所を出ることと鮎を釣ることとは、おれにとってはおんなじものになってたよ。だって、女の方はよ、五本の指があればてきとうに処理はできるけどね、鮎は、指が五十本あったって、いつの間にかム所にいたんじゃ釣ることはできないだろう。

ム所を出たのがね、九年前の六月。

出る時にもらった金でさ、おれは釣り道具屋にすっ飛んでったよ。竿と、テグスと、鉤と、ひと通りをそろえてね、この川でドブ釣りをやった。

雨が降ってたけどね、最初の一匹を釣った時には、もう、極道はやるまいと思ったよ。今度極道やったら、もう二度と鮎を釣ることなんてできないだろうってね。

ウィスキー、いいのかい。

おれが全部飲んじゃってもさ。

その年の七月に、湯本《ゆもと》のそば屋で働いていた小夜子と知り合ってね。小夜子は親父とふたり暮らしだったんだ。母親というのが、かなり前に死んでいてね。小夜子の親父というのが、当時は寝たきりでさ。働きながら彼女が面倒みてたんだ。

その親父が鮎を好きだというんで、釣りに行くたんびに、型のいいのをそば屋にいる小夜子のところへ持って行ってやってたんだよ。

下心がなかったって言うと嘘になるけどね、おれには、別に小夜子をどうこうという気持ちはなかったんだよ。

ただ、鮎が好きで、動けねえという親父さんのことがさ、他人《ひと》ごとにゃ思えなくてね。それに、やっぱりその女のこと、好きだったしね——。

外でもさ、何度か小夜子とは酒を飲んだな。もっとも、酒を飲んだからって、手さえ握らなかったけどね。

そうしたらさ、その年の今時分だよ。

おれがそば屋へ鮎を持って行ってやったらね、小夜子が、今日は一緒に家に来てくれと言うんだよ。

やけにあらたまった感じでそう言うんだよ。

こいつはいけねえと思ってさ。おれは正直にね、ム所に入っていたことを小夜子に言ったんだよ。そうしたら、それでもいいから来てくれと、小夜子が言うんだ。親父がおれに会いたがってるんだとね。

行ったよ。

結局ね。

会ったけどさ。親父は、おれと小夜子のことは何も言わなかったよ。ただ、飯を喰いながら、鮎の話ばかりしたな。照れ臭かったよ。なにしろ、小夜子よりは、親父さんの方がおれとは歳が近かったんだからよ。

その時はね、結婚だとか、そんな話はひと言も出なかったよ。

でも、あれが、今思えば、そういうあらたまったあいさつだったんだな。

親父さんが死んだのは年があけてすぐだったよ。

葬式には呼ばれたんだけどね、顔は出さなかった。

落ち着いた頃と思って、それから十日ぐらいしてから、小夜子の所へ、香典を持って顔を出したら、何で葬式に来てくれなかったのかと、小夜子が泣き出してさ。

その晩に、小夜子とはできちまってね。

三日後には一緒になっちまったんだ。

お互いの身内には反対はされたんだけどね、おれも小夜子もガキじゃあないんだから、勝手に籍を入れてさ、ふたりで暮らし始めたんだよ。

小さい喧嘩はやったけどね、まあ、そこそこはうまくおれたちはいってたんだよ。

美人じゃないんだがね、肌だけは、これまでおれが抱いたどんな女よりもいい肌をしてたよ。色が白かったしね。男と女なんて、なんだかんだといっても、結局寝た時に肌が合うかどうかってことだろう？

肌が合ううちは、いくら喧嘩したって、別れやしねえさ。

で、小夜子の髪の色が、真っ黒でね。凝《じ》っとこう見ていると、表面がきらきらと緑色に光って見えるんだな。それほど黒かった。

その頃は、もう、おれは自分で毛鉤を造っていたよ。

仕事が倉庫番だったからね。

かなり暇な時間があって、道具なんかを持ち込んでさ、ぽつぽつと毛鉤を造ってたんだよ。

四年前だったよ。さっき話した釣り雑誌の記事を読んでさ、ひとつおれも、女のあそこの毛で鉤を造ってやろうと思ってね。造ったんだよ、小夜子のあそこの毛でさ。ふたつね。

その時はまだ二月でね。

小夜子が、家の前の地面をいじって水仙なんかを咲かせていたんだよ。黄色い花が咲くやつでね。

それで、もともと遊びだからね、毛鉤の角《つの》の所だけ、その水仙の黄色にしてやろうと思って、そうしたんだよ。

で、あの毛鉤の名前が黒水仙さ。

その黒水仙を初めて使ったのが、その年の六月二日さ。まだ覚えてるよ、その日のことはちゃんとね。その日が、その年最初に、鮎を釣りに出かけた日だったんだ。いつもなら、六月一日の解禁日に、仕事を休んでも行くんだが、その年だけは行けなかったんだ。病気でね、小夜子が寝込んでいたんだよ。

ただの食あたり——その時はそう信じ込んでいたんだけどね。

一日に、小夜子が、腹が痛くて気持ちが悪いと言うから、せっかくとった休みを返上して、看病してたんだよ。それが、夜になってもよくならなくてさ。食あたりだろうと思ってたからね、薬を飲ませておいて、朝になったら医者に行こうと考えてたんだ。

ところがね、翌朝ね、おれはね、行っちまったんだよ。

鮎をやりにね。

馬鹿だねえ。

あたりが明るくなりかけた四時頃に、もうたまらなくなっちまってね。医者には、八時頃連れて行けばいいから、それまで二時間くらいは釣れると思ったら、もう駄目だったよ。

出かけて行って、帰ったのが昼。

釣り始めたら、もう駄目なんだよ。

あと一尾、あと一尾ってさ。少しだけ持って行った鉤が、十時には、根がかりして一本もなくなっちまってね。そこで黒水仙を使ったんだよ。

その頃は、まだ、普通の毛鉤だったんだけどね。ところが、黒水仙にした途端に、喰いがぱったり止まっちまったんだ。釣れたら釣れたで、釣れなければ釣れないで、情けないほどに帰れないものなんだな。

あと五分、あと一分と思ってるうちに一時間たっちまった。いよいよ帰ろう、これが最後の一投と、流した浮子《うき》がね、二メートルほど流れた所ですっと沈んだんだよ。その辺りには石があって、時々引っかかってたから、こんどもそうだと思ったんだ。

軽く竿をあげて引っぱったんだが動かないのさ。重くてね。

ごつん、という石に根がかりした時のあの手応えさ。

糞、と思ったその時にね、いきなりきたんだよ、あいつがね。

こつ、でも、ごつんでもない。

がつん！

だよ。

いきなりね。

強烈な引きが来た。凄かったよ。初めてだった。あんなのは。誰かが水の中から、おもいきり糸を引っぱったみたいにね。その時、ハリスが切れなかったのは、奇跡みたいなもんさ。

その手応えはね、川の底をね、石がごろんごろんと転がっていくような感じだったよ。その石に鉤が引っかかっていて、その石が転がりながら、川底の他の石にがつんがつんと当るのが、竿を通して伝わってくるみたいなんだよ。

その時間が、二秒くらいだったのか、十秒くらいだったのか、おれには今もわからないんだけどね、いきなりハリスが切れてさ、竿が、ぎゅんと天に跳ねあがって、それで終わりさ。

ただね、ハリスが切れるその一瞬にね、おれは見たんだよ。そいつがさ、身体を半分水面にあげてね、尾でおもいきり水面を叩いたんだ。

鮎だったよ。

間違いなくね。

もしそれを見なかったら、きっと、おれは、かかったのがウグイか鱒《ます》の大きいやつだと思い込んでいたろうけどね。

その鮎は、少なく見ても、五十センチを越えた大きさがあったよ。

少なく見てもだよ。

わかるよ。

まさかと思ってるんだろう。嘘だと思ってるんだろう。そんな鮎がいるはずはないってね。だけど、これでもひかえ目におれは言ってるんだよ。

知ってるかい。鮎は、一年で死んじまうとみんなは思ってるらしいけどね。どういう加減でか、年を越しちまって、翌年の夏まで生き残っちまうのがあるんだよ。産卵期が終わったあとにね、水温の高い、流れのゆるい溜《たま》り場で、生き残る鮎がいるのさ。

本によるとね、鮎もこれだけいるとね、中にはホルモンだか何だかが分泌されないやつが、ごく稀にいるらしいんだよ。そういった鮎は、生殖機能が働かなくなってさ、秋になっても産卵をせず、夏のまんまの姿で年を越しちまうらしいんだよ。普通は、それでももう一年が限度らしいんだけどね、何年も生きてしまうやつがもしいたとしても、これはおかしくはないだろう。

そうか、カミさんの話だったな。

おれは、その時、頭がどうかしちまったんだよ。残ったもう一本の黒水仙で、同じポイントばかりをねらって、一時間も時間を使っちまったんだ。二度と魚信《あたり》はなかったよ。カジカも釣れなかった。

それで家に帰ったのが昼の一時近く。

家に帰ったら、小夜子が蒲団の中で死んでたんだよ。

6

「ボツリヌス菌だよ――」

男――黒淵平蔵は、小さい声で言った。

ボトルのウィスキーが無くなっていた。

赤い顔で、水を眺めている。

「その年から四年、おれは、あの鮎を追っかけてるんだよ――」

「――――」

菊村は、低くうなずいた。

「三年前の夏だったよ。あいつが、また、おれの黒水仙に引っかかってきたのはね。すぐに、ハリスがいかれちまったけどさ。あいつは、どうやら、黒水仙ばかりにかかってくる。他の鮎は一匹も釣れないのに、黒水仙にはあいつだけが喰いついてくる。今は、あいつを釣り上げるのが、おれの生きがいみたいなものだ」

「――――」

「だから、毎年、あの鮎を捜して、おれは釣ろうとしているのさ。まだ、小夜子のあそこの毛が残っているからね――」

「残ってる？」

「剃ったんだよ。小夜子の葬式のあった晩にな」

「剃った？」

「ああ。剃った」

ぼそりと言った。

「――――」

菊村には言う言葉がなかった。

眼の前のこの男が、死んだ妻の股間を、暗い部屋の中で剃っている光景を想像した。

鬼気迫るものがあった。

「今年は、結局、あいつには会えなかった」

「駄目だったんですか」

菊村が言うと、黒淵はうなずいた。

「この場所はね、あいつが、毎年冬を越す場所なんだ」

「この場所がですか」

「そこに、岩が沈んでいるのが見えるだろうが——」

「見えます」

「二年前に、捜し続けてようやく見つけたのさ。河口近くのどこかだろうと見当をつけて、箱眼鏡で捜しはじめて二年目にね。喰み跡を見つけたんだよ——」

菊村は、黒淵の言葉に、凝《じ》っと水底の岩に視線をやった。

青い水底に沈んだ石の表面には、夏に見たあの喰み跡はついていなかった。

「この場所では釣らなかったんですか——」

「やってはみたさ。だが、この場所にいる時のあいつは、毛鉤なんぞには見向きもしないよ」

「今年は、もうここに、あいつが来ているんですか」

菊村が訊くと、黒淵がゆるく首を振った。

「やつが来るのを、おれは待ってるんだよ」

溜め息と共に、黒淵が吐き捨てた。

その巨鮎を釣り上げることのみが、黒淵の生きがいであり、執念のようであった。

誰かが、釣り上げてしまったのか。

それとも、死んで、海へ押し流されてしまったのか。

巨鮎の姿は見えなかった。

暗い焦燥が、黒淵の黄色い眼の中にあった。

さらにひとしきり話をし、ようやく腰をあげた菊村は、ふと水中の岩に眼をやった。

何か、黒い影が動いたような気がした。鈍い色の刃物を水中で寝かせたように、ぎらりとそれが光った。

「黒淵さん——」

水中に眼をやったまま、囁《ささや》くように菊村は言った。

「あれを——」

菊村が、水中の岩を指差した。

「お……」

黒淵が声をあげた。

その水中の石の表面に、さっきまではなかった、巨大な鮎の喰み跡がついていたのである。

黒淵が立ちあがった時、菊村も、それを見ていた。

暗い水中に、はっきり巨大な魚の影が動いたのだ。

鮎であった。

それもおそろしく大きな鮎だ。

菊村は、自分の眼を疑った。

錯覚ではなかった。

それは、確かにその岩の影で動いていた。

それは、もう一度、岩の影から姿を現わし、威圧するように、ゆっくりと、銀鱗をゆらめかせてその岩の表面を喰んだのであった。

五十センチ——いや、それ以上はある鮎であった。

「待っていろよ——」

水中を睨みながら、黒淵がつぶやいた。

「待っていろよ——」

もう一度言った。

「来年だ……」

黒淵の唇が、微かに、笑みの形に吊りあがっていた。

暗《やみ》烏《がらす》

1

桜が咲く頃になると、落ち着かなくなる人間がいる。

菊村敬介も、その落ち着かなくなる人間のひとりであった。

鮎の遡上《そじょう》が、始まるからである。

海で育った鮎の稚魚が、沿岸の海水域から、河口周辺の淡水域に近づいてくるのは、早春である。川の水温があがり、温度が海水と同じくらいになると、稚鮎《ちあゆ》は河口から川へと遡上を始めるのである。

三月の下旬から五月にかけての頃で、その時期が、不思議と桜の開花期と重なっているのである。

菊村は、ゆったりと上下する藍色《あいいろ》の海面を眺めていた。

潮の香が、濃く鼻に届いてくる。

風は冷たかったが、それが頰に心地良かった。

三月下旬まではその風の中に雪の感触が残っていたのだが、それが今はない。

三月に入ってからも、今年は寒い日が続き、丹沢《たんざわ》や箱根に何度か雪が降っている。箱根外輪山から足柄《あしがら》平野へと下る山襞《やまひだ》の、かなり下の方まで白いものが覆うことがあった。その雪が谷の懐《ふところ》に遅くまで残っていて、四月に入るまでは、箱根から吹き降ろしてくる風には、その雪の感触がはっきりと感じられるのである。

小田原の街からは、丹沢も箱根も、眺めることができる。南北に走る道路の北に丹沢が、東西に走る道路の西に箱根が見える。

菊村の立っている場所からは、正面に明るい午後の陽差しをあびて、箱根の明神ヶ岳《みようじんがたけ》が見えている。

風は、菊村の左から吹いていた。

山からの風ではない。

海からの風である。

――早川港。

相模《さがみ》湾に向かって、左右から防波堤が延び、内側に海を抱え込んでいる。

ふたつの防波堤の先に灯台が建っている。

向こう側が白い灯台で、こちら側の灯台が赤い。子供の頃から見なれた風景であったが、どうしてそのように色が分けられているのか、菊村にはわからない。

赤い灯台の建っている防波堤の根元あたりから、ふたつの防波堤で造られた湾を二分して、広いコンクリートの堤防が突き出ており、その上が魚市場になっている。二分された内側の湾の方に、無数の漁船がもやってあった。

菊村が立っているのは、湾を二分している堤防の先端であった。

横手の魚市場からは、独特の魚臭が届いてくる。

湿った魚の臭《にお》い。干からびた魚の臭い。腐った魚の臭い。新鮮な魚の臭い。魚の血とはらわたの臭い。

便所の臭いや、ゴミの臭いや、何かを燃した後の臭い——。

それらがごっちゃになって、濃い潮風の中に溶けている。

この場所に立つのは久しぶりであった。

昨年の同じ時期にも、ここにこうして立っていたように思う。

海面に、きらきらと陽光が揺れている。

菊村の左横に、青いヤッケに身を包んだ釣り人が、ミカン箱に腰を下ろしていた。

その男が手にした竿先から伸びたテグスの先を、菊村は見ていた。銀色のテグスが、深い緑色をした、透明な海中に向かって伸びているのが見てとれる。川の水もそうだが、海水も、どんな色をしているのかと考え始めるとわからなくなる。

表面は、白っぽいようにも、濃い藍色にも見えるのに、もっと深い海中は、緑色をしているように見える。単純な緑ではない。他の様々な色をその内側に潜《ひそ》ませた深い緑である。

どんな色でさえ、その水にすっと鋭い刃物をあてれば、その内側に見えてきそうであった。

水の色について考えるのは、菊村が、海や川を眼の前にしてくつろいでいる時の癖であった。

透明なだけの水が、天候次第で、鈍い鉛色にも、明るい青《ブルー》にも変化する。

海中に潜ったテグスに沿って、キラキラと揺れるものがあった。青いヤッケを着た男が、竿を上下させているのだ。男が竿を動かす度に、その白いものが光る。

まるで、小魚が海中で垂直に並び、銀鱗を次々に翻《ひるがえ》してみせているようであった。

男が、リールを巻きながら立ちあがった。

海中に潜っていた仕掛けが、海面から姿を現わした。

水中で光っていたのは、小さな魚を形どった、金属片であった。それが、上から下まで、五センチくらいの間隔で五つ並んでいる。その下にやはり、五センチくらいの間隔で、五つの鉤《はり》が上から下に並んでいた。そのさらに下に、錘《おもり》が付いている。

五つの鉤のうちの三つに、小さな美しい魚が掛かっていた。

体長五センチ前後の、紙のように薄い銀色の鮎であった。

稚鮎が、波の静かな湾内に集まってきているのである。地元の人間にしかやれない釣りである。

ぴちぴちと銀鱗を躍らせる稚鮎を、男は、太い指で無造作に鉤からはずすと、横に置いてあったクーラーを開け、その中に放り込んだ。

クーラーの中には、海水が溜めてあり、かなりの数の鮎が入っていた。半数以上が、白い腹を見せ、水面にあの独特の顎《あご》を浮かせていた。

菊村の胸が、小さく痛んだ。

——どうして、まだこんなに小さなうちから鮎を釣ってしまうのか。

〝ここで鮎を釣らないで下さい〟

そう書かれた立て看板が、男のすぐ横に立っている。

まだ四月である。鮎の解禁は六月一日であった。

その六月一日以前に鮎を釣るのはむろん違法であるが、河川における漁業法がこの港まで及ぶのかどうか、菊村は知らない。しかし、菊村には、この男のように、釣るなと書いてある立て看板の前で、鮎を釣る勇気はない。

魚に似せた金属片で稚鮎を寄せ、それを鉤で強引に引っかけるやり方も、あまり好きではない。

しかし、男の気持ちはわかる。

もう少し勇気さえあれば、自分も、その看板の横で小さな鮎を釣っているかもしれない。

男に対する軽い苛立《いらだ》ちと、嫉妬がある。

釣るなと記した看板にも、そこで竿を出している男にも、菊村は腹を立てているらしかった。

鮎を釣っている人間が、他にもふたりいた。

この日は平日だったが、日曜日にはこの人数がもっと増えるはずであった。

どの段階で釣り上げようと、釣られる鮎にとっては同じことだが、遡上前の稚鮎を釣ってしまうのは、落ち鮎の時とはまた違った痛々しいものがある。胴を釣られて折れ曲がった稚鮎の可憐さが、その思いをさらに強くする。

視線を上に向けた。

蜜柑畑《みかんばたけ》の緑色を配した山肌の処々《ところどころ》に、ふわっと白いものが見えていた。

桜であった。

その桜に眼をやりながら、菊村は煙草を取り出して口に咥《くわ》えた。ライターをポケットから出して、火をつける。

つい先日顔を出した、カメラメーカーの営業マンが置いていった、メーカーのネーム入りのライターであった。つい最近発売された新機種の販売に合わせ、小売店や、カメラを買った顧客に配るため、カメラメーカーが、自社のネームを入れて造らせたものである。

箱根湯本《ゆもと》にある何軒かの旅館に、フィルムを納品しての帰りだった。

半月に一度の割合で、菊村は、フィルムを納品にゆく。湯本までは、小田原から国道一号線でゆく。途中の半分は、早川に沿った道であった。

その行きと帰りに、車を運転しながら菊村は横目で早川の川原を眺める。

つい川の状態に眼がいってしまうのだ。

今年はどのあたりがよさそうかと、ちらちらと川相をさぐる眼になってしまうのである。

川に沿って、桜が植えられている。

風祭《かざまつり》から湯本にかけてが特に桜が多かった。

行く時には、まだ散っていなかった桜が、帰りには散り始めていた。風が吹くと、川原の広い空間に、おもしろいように花びらが舞いあがる。

その花吹雪が水面に散ってゆくのを見ているうちに、鮎の姿を見たくなってしまったのである。

途中、風祭と、板橋のあたりで車を停め、川の具合を見てから、ハンドルを早川港に向けたのだった。

川は、今年の釣りについては、あまりありがたくない状況になっていた。上流と下流の川原に、ブルドーザーが入り、かなり広い範囲に渡って川を引っ掻《か》き回したからである。

下流の河口近くの川原にブルドーザーが入ったのは、昨年の暮――菊村が落ち鮎を釣ってからほんの数日後であった。

上流――いつも菊村がちんちん釣りをやる風祭あたりの川原にブルドーザーが入っているのを知ったのは、今年に入ってからであった。

川底を掘り、川の流れを変え、川相を一変させていた。

河床《かわどこ》が低くなり過ぎ、両岸の堤防の根が水でえぐられ、危なくなっているので、川の流れを変えるための工事であるという。

河口のあたりは、特にひどかった。

河床も川原も以前の面影《おもかげ》も浮かべようがないほど変わっていた。

今も、その光景を眼にしてきたばかりである。

菊村の脳裏に、ふと、あの黒淵平蔵の姿が浮かんだ。

昨年の十二月、菊村が落ち鮎を釣りに行った日に、その黒淵平蔵と会ったのだ。

黒淵は、死んだ自分の妻の陰毛で造った毛鉤《けばり》で、ある一尾の巨鮎を釣ろうとしている男だった。

その魚影は、菊村も眼にしている。

想像を越えた大きさの鮎であった。

毎年、越年するのに同じ場所を使っている鮎である。

その鮎が、眼の前でゆらりと揺らぐ様《さま》を菊村は見ていた。思い出す度に、どきりと心臓が鳴るような光景であった。

ディーゼルエンジンの、海面を叩《たた》くような音が聴こえてきた。

真鶴沖《まなづるおき》か国府津沖《こうづおき》に出ていた釣り船が、港に入ってきたらしい。

船首で左右に分けられた波が、堤防の下まで届いてきた。

その波が堤防のコンクリートの壁を叩く。

その時、菊村の背に後方から声がかかった。

「菊村ちゃん――」

知った声であった。

菊村は振り返った。

そこに、小島雄二《こじまゆうじ》が立っていた。

「小島さん――」

菊村は言った。

「あんたも好きだねえ」

小島は人なつこい笑みを浮かべて歩み寄ってきた。

「小島さんこそ、仕事をほっぽって、こんな所へ何しに来たんですか」

「あんたと同じさ」

「ぼくと？」

「鮎だよ」

小島は、菊村の横に並び、菊村が見ていた海面を見降ろした。

「いるねえ」

つるりと顎を撫《な》でた。

海面下のかなり深い場所まで、よく見ると無数の黒い小さな魚影が動いている。

「昨年並ってところでしょう」

「河口のあたりを、昨年ほじくり返してたんで心配してたんだが――」

「小島さんと同業の仕事でしょうが」

「ばか」

小島は海に向かって言った。

「おれは、鮎の敵になるような仕事はやったことはないよ」

「本当は、市や県の大きな仕事は、まわしてもらえないんでしょう？」

「あれは持ちまわりでね」

「小島土建だけ、持ちまわりの回数を減らされてるんじゃないですか」

「よせよ。言われると、ほんとうにそうじゃないかって気になってくる」

小島は、陽に焼けた顔に、白い歯を見せた。

小島は、ずんぐりした体軀に、頑丈《がんじょう》そうな太い手足をしていた。

髪をいつも短く刈り込んである。

小島土建の社長をやっているが、背広さえ着ていなければ、現場で使っている人間とほとんど変わりがない。

工事写真の焼きつけを、菊村の店に頼んでおり、それが縁で知り合った。鮎のち、ん、ち、ん、釣りを、菊村に教えたのが小島である。

「ところでどうだい――」

小島が菊村に顔を向け、微笑しながら右の拳《こぶし》を海へ向かって突き出し、人差し指を立て、ひょいと何かをしゃくりあげる動作をした。

釣りに行かないかと、小島は菊村を誘っているのだった。

「何ですか？」

「山女魚《やまめ》さ」

「渓流ですか」

「遠くじゃない。狩川《かりがわ》の上流にいい場所があってね。大釣りはできないけれど、退屈しない程度には楽しめる」

「浮気ですか」

「初めてというわけじゃないだろう。時々は他の味を知らないと、鮎の良さもわからないぜ――」

小島は、菊村より七歳年上の、四十五歳のはずである。独身で、子供はいない。八年前から十二歳年下の女と暮らしているが、結婚はしていないはずだった。もっとも、その女以前に、小島に女房《つれあい》がいたかもしれないが、そこまでは菊村は知らない。

「鮎が始まる前にね、軽く肩ならしをしておこうってことさ」

小島は、また右拳を造り、宙に向かってしゃくりあげる動作をした。

2

山女魚は、どういうわけか、小島のてんからばかりにきた。

菊村の竿には、二度ほど浅い魚信《あたり》があったきりである。菊村も、むろん渓流は初めてではない。片手で数えられるほどだが、何度か渓《たに》に足を運んでいる。

しかし、餌釣りしかしたことはない。

だから、その日も、餌釣りの仕度しかしてこなかった。

イクラとブドウ虫を持ってきている。

ところが、それにほとんど魚信がないのである。

川石をさらって、チョロムシやらピンチョロなどの川虫を取って使ってみたが、やはりだめであった。

「まいったなあ」

釣り始めて二時間後に、菊村は声をあげた。

先行者を避けて、沢のかなり上まで車で入り、そこからさらにまた釣りながら沢を上っている。

新緑と呼べるほどではないが、小さな新芽が、沢の斜面の樹々の枝から、一斉《いっせい》に芽ぶき始めていた。

菊村がボウズなのに比べ、小島はすでに八尾、あげていた。

自分の用意してきたてんからを使えという小島の好意を断って、菊村は、毛鉤を使用することにした。てんから用の毛鉤ではない。ただの鮎の毛鉤であった。

昨年の十二月に、最後の落ち鮎釣りをやった時のものが、そのまま釣具を入れるケースの中に入っていたのである。

三本の毛鉤が付いているちんちん釣りの仕掛けであった。

上から、お染《そめ》、青ライオン、暗烏《やみがらす》の順で毛鉤が付いている。

「本気でそれで釣るのかい――」

そう言う小島の目の前で、菊村は、最初の竿を、先のポイントに振り込んだ。

少し上流に大きな石があり、その脇からの落ち込みの泡が消えるあたりだった。

投げ込んだ途端に、ゴツンと手応えがあった。

夢中で合わせると、糸が、対岸の大岩の下に向かって疾《はし》った。ひゅっ、と糸が鳴った。

竿先が、大きく下に向かって曲がっている。

――切れるか!?

菊村は思った。

仕掛けは山女魚のものではない。鮎のものである。ミチイトは〇・八号、ハリスは〇・三号である。

いつ切れてもまったく不思議はない。

祈るような気持ちであった。

だましながらやっと攩網《たも》の中に取り込んだ瞬間、大きく山女魚が尾を叩いた。

ハリスが切れていた。

しかし、山女魚がいるのは、すでに攩網の中である。

美しいパーマークの入った山女魚であった。

体長は二十七センチ。

口の端に、一番下鉤の暗鳥が付いていた。

3

「あんな山女魚が、鮎の鉤にくるんだねえ」

しみじみと小島がそう言ったのは、〝酔処《よっとこ》〟のカウンターであった。

菊村も小島も、この〝酔処〟の常連だった。週に三回ほどは顔を出す。

この日、半日上に釣り上がって、釣果《ちょうか》は、結局小島の九尾、菊村の一尾であった。

暗鳥に大物の山女魚があたってから、小島の調子が落ちて、小島はそれからは一尾を釣り上げただけであった。菊村が釣り上げたのも、結局、その暗鳥であげたその一尾だけである。しかし、その山女魚は、小島の上げたどの山女魚よりも大きかった。

〝酔処〟の、分厚い木製のカウンターの上に、今日釣り上げた山女魚の塩焼きが乗っていた。皿の上に、クマザサを敷いて、その上に喰われて身が半分になった山女魚がいる。

〝酔処〟の親父が、サービスだと言って、山女魚を焼いてくれたのだ。

カウンターの上に、ハリスを一センチほど残した暗鳥が乗っていた。

黒を主に、七面鳥の羽毛を巻いたものである。留《サキ》の手前に小さな水色があり、留《サキ》の部分が金で留めてあった。

ミノ毛の数本が折れている。

一部に使われた孔雀の羽根が、見る角度によって、鮮やかな金緑色の光沢を放つ。

黒を主にしたデザインと、眼に染みるような濃い水色とのコントラストがみごとであった。さらに、使用された孔雀の羽根底深い黒々とした金属光が、この鉤に、一種独特の凶々《まがまが》しさのようなもの——ただものではない雰囲気を漂わせている。

暗鳥とはよく名付けたもので、菊村はこのネーミングが気に入っていた。

「中根先生がさ、前に、丹沢湖の上の沢で、鮎の毛鉤に山女魚がきたって言ってたけど、眼の前では初めて見たよ」

小島は、自分の山女魚に箸を伸ばしながら言った。

カウンターの上の暗鳥に視線を送り、

「毛鉤っていうのは、見ていて飽きないね」

つぶやいた。

暗鳥だけでなく、鮎の毛鉤には、一種独特の雰囲気がある。どんな鉤でも職人が、ひとつずつ手で巻いたもので、繊細な神経と技術、さらにセンスが要求される。

同じ鉤でも別の職人が巻けば違うものと言ってもいい。違う職人の巻いた同じ鉤を並べてみればすぐにわかる。これが同じ鉤かと思うほどである。

その差がそのまま釣果に表われる。

有名な職人の鉤はたしかにみごとだが、その鉤が無名の人間の巻いた、荒っぽい針よりも釣果をあげるというわけでもない。

それを承知で、なお美しい鉤を造ろうという職人の執念のようなものが、ひとつずつの鉤から伝わってくる。日本刀のような凶器から、鮎の毛鉤のようなもの——人を殺すための道具、鮎を釣るための道具、そういう実用《リアル》一点張りのものを追求した挙句《あげく》に、それを芸術品にまでしてしまうところが、日本の文化の中にはある。

椿姫《つばきひめ》。

夕映《ゆうばえ》。

苔虫《こけむし》。

黒髪《くろかみ》。

黒龍《こくりゆう》。

桃暈《ももぼかし》。

楽翁《らくおう》。

磯千鳥《いそちどり》。

黒お染《くろそめ》。

いるのである。

黒海老《くろえび》。

二千種以上あると言われている鮎の毛鉤の全《すべ》てに、このようなネーミングがなされて

「今年は、この暗鳥がぼくの当り鉤かもしれませんね」

菊村が言った。

「あれでこっちはすっかり毒気を抜かれちまったからな。おれにとっては、危鉤だよ。六月一日には、イタリア中金あたりの、ど派手な赤いやつで毒払いをしなくちゃいけないな――」

冗談とも本気ともつかない口調で小島が言った。

ひとしきり、毛鉤の話をした後、猪口《ちょこ》に残った酒をひと息に口の中に放り込んで、小島が腰をあげた。

「帰るとするか――」

「もう？」

菊村が言った。

小島は、菊村と親父の方に眼をやってから、ふいにうつむいた。

「どうもうちの女《やつ》にガキができたらしくてね」

ざまあないよと、小島が頭を掻いた。

「もう結果がわかってるはずなんだよ。釣りに行ったまんま帰りが遅いとね――」

一瞬、はにかんだ少年のような微笑が、無骨《ぶこつ》と言ってもいい小島の唇に浮かんだ。

「いい歳《とし》かっぱらって、今さらねえ――」

うつむきながら、ポケットからサイフを取り出して、太い指で、勘定をカウンターの上に置いた。

菊村が見ると、ふたり分がそこに乗っている。

「小島さん――」

「いいんだよ、今日はおれが誘ったんだから。菊村ちゃんはゆっくり飲んでいきなよ。そのうちに中根先生も来るかもしれないしね――」

すぐ後方の戸に、後ろ手に指をかけている。

「車は停めさせておいてよ。明日、うちの者《もん》に取りに来させるからさ。おれは駅前でタクシーを拾って帰るから――」

〝酔処〟は、駅に近い飲み屋街のはずれの路地の一番奥まった場所にある。こんな場所に飲み屋があったのかと思えるほどだ。

すぐ裏が空地になっていて、〝酔処〟の駐車場になっている。

駅から〝酔処〟に来るまでに、ほとんどの客は途中の店に吸い込まれてしまう。近くの飲み屋でケンカになった人間が外でやり合うには、ちょうどいい路地であった。

店は小さいが、いつも新鮮な魚の美味いのをそろえていて、菊村も小島もそこが気に入っていた。

「とうとう年貢を納める時が来たね――」

頭のつるんと禿げた親父が、カウンターの中から声をかけた。

「まいったよなあ」

言いながら小島は出て行った。

それから一時間ほど飲んで、菊村は腰をあげた。

勘定を払おうとサイフを取り出した時、外から荒っぽい音が響いてきた。

人と人とが揉《も》み合う音だった。

人の肉体が地面に転がる音がして、ポリバケツの倒れる鈍い音がその後に続いた。

呻《うめ》き声――。

片方が一方的にやられているらしい。

菊村は親父と顔を見合わせた。

「まだ外には出ない方がいいよ」

親父が言った。

手は、無造作に、切ったばかりの平目《ひらめ》の刺し身を皿に盛りつけている。

「若僧が――」

外から、どす黒い怒りを含んだかなりはっきりした呻き声が響いてきた時、菊村は、思わずガラス戸の方に眼をやっていた。

その声に聴き覚えがあったからである。

靴が、人の肉を打っているらしい、鈍い音が、不気味なほど鮮明に外からとどいてくる。

「こりゃあ、ひでえな」

親父がつぶやいた。

「見てみます」

降ろしかけていた尻を、菊村は再び上げていた。

ガラス戸に手をかける。

「気をつけなよ」

親父が声をかける。

顎でうなずいて、菊村は、戸を開けた。

外へ半分身体を出す。

騒ぎは収まっていた。

通りの方に向かって、ふたり分の背広姿が遠ざかってゆくところだった。

店の前の土の上に、俯伏《うつぶ》せに男が倒れていた。その横に、ポリバケツが転がっていて、蓋《ふた》が開いて中のゴミが外にこぼれ出していた。

酒の匂いと、ゴミの臭い、そして微かな血の臭いが路地の空気の中に満ちていた。

〝酔処〟の親父が、菊村に遅れて顔を出した。

「あいつだな」

男の姿が見えている。

〝酔処〟の親父が、倒れている男を見てつぶやいた。遠くにぽつんと立っている外灯と、〝酔処〟の店の灯りで、暗がりの中に倒れている
「あいつ？」

「この正月あたりからさ、時々ここらでこんな騒ぎを起こしてるんだよ」

〝酔処〟の親父は、倒れている男を眺めてつぶやいた。

灰色の上着を着た男であった。

古びて、薄汚れた上着であった。

茶色のズボンをはき、足にはズックをはいていた。

その姿にも見覚えがあった。

「知り合いかい？」

「たぶん」

菊村が答えて外へ足を踏み出した時、倒れていた男が顔をあげた。

血と、涙とで汚れた顔であった。白いものが混じる髪が、ざんばらになっている。深い皺《しわ》が、黄色い紙のような皮膚に刻まれていた。

その肌と同じ、濁った黄色い双眸《そうぼう》が、菊村を睨《にら》んだ。

「黒淵さん？」

菊村は声をかけた。

その男は、一瞬怪訝《けげん》そうな顔をし、手を地面に突いて起きあがった。

昨年の十二月、早川で落ち鮎釣りをしている時に会った黒淵平蔵がそこに立っていた。

十二月に会った時と、同じ服装をしていた。

五十八歳と言っていたが、その年齢以上に老《ふ》けた顔つきをしていた。

黒淵は、自分に声をかけてきた男が誰だかわからないらしかった。胡散臭《うさんくさ》そうな眼で菊村を睨んだまま、唇の端から流れ出た血を手の甲でぬぐった。

ズボンの膝と胸についた泥を、ぱんぱんと手で払って、歩き出そうとした。

「黒淵さん——」

菊村がもう一度言った。

黒淵が立ち止まった。

菊村を見た。

「あんたか——」

酒臭い息が、菊村の顔を生温かく撫でた。

ようやく相手が誰であったか気づいたらしい。しかし、わずかの笑みを浮かべるわけでも、きまりの悪そうな表情を浮かべるわけでもなかった。

〝あんたか〟

と、黒淵が口にした、ただそれだけのようであった。

黒淵は、すぐに背を向けて歩き出した。

菊村は、〝酔処〟にもどり、すでにカウンターの中に入っている親父に金を払い、釣り道具一式を詰め込んだバッグを肩にかけ、外に出た。

路地から、黒淵の姿が消えていた。

足を速めて、駅前へ抜ける通りに出た。

路地とは一変して、そこはきらきらしい原色のネオンの世界だった。

酔客に、呼び込みが盛んに声をかけている。

駅とは反対方向に、黒淵の背中が見えた。

丸めた背の灰色の古びた上着の上に、ネオンの色が映っていた。

酔っているのと痛めつけられたのとで、足取りがふらついている。それでも人にぶつからないのは、前から来る通行人が黒淵をよけているからだ。

「黒淵さん――」

後方から、黒淵の左横に並んで、菊村は声をかけた。

普通ならば、後を追ってまで声をかける仲ではない。

菊村は、自分でも己《おの》れの行動が不思議だった。ただ、どうも、この黒淵という男には奇妙に魅《ひ》かれるのである。

一瞬黒淵が怒り出すかと菊村は思ったが、黒淵は、ただじろりと菊村に視線を向けただけであった。

菊村は、唇を閉じて、黒淵の横に並んで歩いた。

黒淵も口を開かない。

黙ったまま歩いた。

黒淵がふいに口を開いたのは、ネオン街を抜け、左手に折れて、暗い東海道線のガードをくぐった時であった。

「川がさ――」

ぽつりと黒淵が言った。

眼は、前方の暗い闇に向けられたままであった。

「川が真っ直《すぐ》になっちまってるんだよ――」

低く押し殺した黒淵の声が、微かに震えていた。

「見たろう？　あれをさ――」

黒淵の声には、やり場のない怒りが含まれていた。

4

腐臭に似たものが、川原に漂っていた。

それまで水底にあった水苔や藻が、陽にさらされ、泥の中でとろけてゆく臭いであった。

処々にまだ濡れた水溜まりがあった。

上流で、むりに川の流れを変えさせられたのだ。

そうなった川が、どんなに無残な有様になるか、菊村は初めて眼《ま》のあたりにしていた。あの黒淵とほんの数日前、酒を飲みながら話をした岩が、今はどこにあるのかわからない。

それまで川だった場所は、内臓をむき出しにされたように、かつて水の底にあったものを陽の下にさらしていた。川底にあった石は、白っぽく、何かの屍《しかばね》のように、累々《るいるい》と転がっていた。石の間に、ビニール袋や、腐った蜜柑の皮がはさまっている。コンドームもあった。

あの、一見は清冽《せいれつ》に見えた川の底に、これだけの汚物が潜んでいたのかと、驚くほどであった。

冷たい風が吹くと、いっそうその腐臭が強まるような気がした。

柔らかな泥の上に、点々とセキレイの足跡がついている。

荒久橋《あらくばし》の真下にある場所にだけは、まだ大きな水の溜まりが残されていて、時折り魚が跳ねている。その茶色く濁った水溜まりの周辺に、無数の鷺《さぎ》が群れていた。

かなりの量の鮎が、まだその水溜まりの中に残っているようであった。

川原の中を、両端に分かれ、二本になって流れていた水の流れが、今は、中央で一本となって、まっすぐ海に向かって注いでいた。

あの、巨鮎が冬を越すはずであった深場も、均等に石におおわれ、平らになっていた。機械でならされ、平坦になった川原は不気味だった。

たまたま、この日、近くを通る用事があり、荒久橋にさしかかって、菊村はこの風景を眼にしたのだった。

呆然《ぼうぜん》として車を止め、川原に降りたのであった。

下流域から、荒久橋を見上げる菊村の背で、海が鳴っていた。

菊村の立っているその周辺だけが、もう水は流れてはいないにしろ、かつての面影をしのべる場所であった。

五十メートルほど上流では、すでに水の枯れたこの川の跡に、川原の砂利《じゃり》がブルドーザーで運ばれ、埋めたてられていた。

白い石の上に残された笹形の乾いた鮎の喰《は》み跡が、眼に刺さるようだった。

――産卵されたばかりの鮎の卵は、これではひとたまりもあるまい。

そう思った。

河床が下がり過ぎたので工事をするという話は耳にしていたが、それがこういうものだとは、眼にするまで菊村はわからなかった。

これは破壊であった。

何かを守るために、もう一方の大切なものを破壊しているのだ。

自分が大切にしてきたものが、こうも簡単に無残な有様になってしまうことが信じられなかった。もっと、他にやり方はあるのではないか――。

あの黒淵が、この光景を見たらどう思うだろうか――。

河口周辺だけでなく、風祭のあたりの川も、同じようになっているのを知ったのは、年が明けてからであった。

いつも、菊村が通っていた場所であった。

黒淵と、初めて会ったのも風祭であった。

そこは、下流域よりもひどかった。

太閤橋下の堰堤《えんてい》のあたりから、東風祭までの平らになった川原の中央を、川がいっきに数百メートルも真っ直に下っているのである。

荒涼とした風景だった。

川の真っ直さが、ひどく凶々《まがまが》しくさえ感じられた。

上から下まで、一様に同じ傾斜、同じ川幅で、同じ状態の瀬が真っ直に続いているのである。淵があり、瀬があり、瀬尻があり、袖があり、流れの処々に大石が顔を出していたりしてこその川であった。

5

「あれは、川なんかじゃねえよ」

黒淵が言った。

菊村には、黒淵の思いがわかるような気がした。

「おれはよ、川を真っ直にするために税金を払ったんじゃねえぜ」

酒臭い息を、菊村の顔に吐きかけた。

「おれから金を取って、川をあんなにしちまうんなら、もう金なんて払いたかない——」

黒淵は言った。

うん、うんと、菊村はうなずいた。

黒淵は、あの巨鮎のことは口にしようとはしなかった。

数年間追い続けたあの鮎がどうなっているのか、それが、この黒淵には気になっているはずであった。菊村は、それを黒淵に訊ねたかったが、それはためらわれた。

しばらく黙ったまま、菊村は、黒淵と歩いた。

「どこまでついてくる気だい？」

黒淵が言った。

「自宅が久野《くの》にありますから——」

菊村は言った。

今、ふたりが向かっているのは、荻窪《おぎくぼ》の方角であった。菊村の住んでいる久野は、小田原駅からは、荻窪の先にあたる。

「ふん」

と、小さく、黒淵が言った。

小田急《おだきゅう》線を左手に見るアスファルトの道に入っていた。右手に、少年院の高いコンクリートの塀が黒々と続いている。

「おれはよ、女房を見殺しにした男だよ。鮎のためにね。そのおれがさ、鮎のいる川があんなにされるのに、金を出して力をかしてたんだからな――」

黒淵の言葉は苦かった。

「あんた、気になってるんだろう?」

黒淵が言った。

さぐるような声であった。

黒淵の眼は凝《じ》っと前を見ていたが、菊村は、その眼に横から覗き込まれているような錯覚を味わっていた。

「え――」

「とぼけなくていいんだよ」

黒淵が言った。

「あんたもあれを見ちまったんだからな。気になるのはわかってるさ。あたりまえだよ。おれがそうだったんだからよ」

「あの鮎のことですか――」

菊村が言うと、黒淵は菊村を見た。

一瞬、菊村は、黒淵が、今にも泣き出しそうな顔に見えた。

鼻と口からの血は止まっていたが、腫《は》れがさっきよりひどくなっている。

「そいつはおれのことより、あの鮎のことが気になるって面《つら》だよ」

泣きそうな顔の中に、ふてぶてしいものが混ざり合っていた。若い頃から極道の世界に入り、人を殺して刑務所に入っていた男である。

年齢より遥かに老けて見える顔の中に、こわいものが潜んでいた。

ふっと、黒淵が笑みを浮かべた。

すぐもとの顔になって、菊村を見た。

「あんた、今、びびったろう？」

低い声で言った。

「――――」

「安心しなよ。今は何もできねえ、老いぼれみてえなもんだからよ。さっきの若僧なんかにやられちまうようじゃ、もうおしめえだな」

小田急の踏み切りを渡り、しばらく歩いた所で、黒淵は立ち止まった。

「どうした？」

先へ歩いていこうとする菊村の背に黒淵が言った。

黒淵が立ち止まった場所に、狭い路地が口をあけていた。

「よってくんじゃなかったのかい」

怪訝そうな顔をしてふりむいた菊村に向かって黒淵は唇の端を吊りあげた。

「来るかい、あんた。この奥におれの家があるんだよ――」

細く、暗い路地だった。

路地の地面は湿っていて、柔らかかった。

家と家との隙《す》き間《ま》で、自転車がやっと通れるほどの広さがあった。

その路地を抜けると、木造の平屋がそこにあった。古い、小さな家であった。

屋根のトタンの処々がめくれあがっているのが、近所の家の窓から洩《も》れてくる灯りで見てとれた。

鍵もかかってはいない戸を、黒淵は軋《きし》らせながら横へ引いた。

玄関の灯りが点《つ》けられた。

狭い玄関が、浮かびあがった。

「悪いけどね、家の中にはあげられないよ。散らかってるんでね」

そう言って、黒淵は自分だけ家の中に上り込んだ。

上りがまちがあり、すぐその先が暗い廊下になっている。

その暗がりの中に、新聞紙の束が積みあげてあったり、酒ビンが転がっていたりした。

あの川とは違った、饐《す》えたような人の腐臭が家の中にこもっていた。

玄関ですむならその方がよかった。

黒淵がもどってきた。右手に、日本酒の一升瓶を持っていた。濁ったガラスのコップをふたつ、左手に持っている。

顔を、何かでぬぐってきたらしかった。

顔にこびりついていた血と泥がきれいになっていた。しかし、面相《めんそう》そのものは、殴られた場所が腫れてきたためか、さっきよりもひどくなっている。

コップを置いている黒淵に向かって、菊村は訊いた。

「ケンカの原因は何だったんですか」

「忘れたよ。いっぱいやらかしたんでな」

黒淵は、言いながら、酒をふたつのコップに注いだ。

「かってに飲《や》らせてもらうよ」

自分だけコップを手に持って、酒を飲んだ。

菊村は、コップに手をつけなかった。黒淵が、コップに入った酒を飲み干すのを、黙って眺めていた。

「仕事はね、やめたよ」

ぽつりと黒淵が言った。

「やめた？」

「倉庫番さ。やっぱりおれは、税金を払うような身分にゃむいてないね」

「――」

「一年くらいなら、なんとかやってけるよ。少なくとも、鮎が終るまではね」

「鮎？」

「おれはね、虫だよ。地べたを這《は》いずるようにして生きてきたんだ。死ぬ時も、地べただよ。そのふん切りがついたんだ。まっすぐな川を見た時にね。今さら極道をやるつもりはないが、地べたで死ぬ決心だけはしたんだよ。おれに残っているのは鮎だけだからね、鮎のことだけはきちんとしておきたくてさ——」

コップの中に残っていた液体をいっきにあおって、また空《から》になったコップに酒を注いだ。

「見えるかい、あれがさ」

黒淵は、玄関の下駄箱の上に向かって顎をしゃくりあげた。その上に石が乗っていた。

「これは——」

しばらくそれを眺めていた菊村は声をあげた。

それは、大人の頭ほどの丸い石であった。

十二月のあの日、川原にさらされていた石と同じ、もとは水底にあった石である。その表面に、太い、あの巨大な笹形の鮎の喰み跡が、石を削りとるようにくっきりとつけられていた。

「今年の二月にね、あの近くの水の中で見つけたんだよ。こいつを見て、おれは仕事をやめる決心がついたようなもんだな——」

黒淵は、酒臭い息を吐きながら低く笑った。

「けっ。死んでたまるかよ、あいつがさ。とにかく、あんなにされた川で、あいつが生きてるんだ」

黒淵は、また酒をあおった。

水のように酒を飲む。

「あいつが、今、どこでどう生きてるのかおれにはわからねえんだけどね。少なくとも、生きてるんだ。こいつを、この石を見ちまったんじゃあ、決心をしねえわけにゃあいかねえよ——」

6

菊村が、次に黒淵を見たのは、五月半ばの夜であった。

箱根へ、フィルムを納品しての帰りである。

他の用事と重なり、帰りが遅くなっていたのだ。

箱根から下ってきて、一号線を小田原に向かって走っている時であった。

前方から、自転車に乗って走ってくる男がいた。それが黒淵であった。黒淵は菊村の運転する車とすれ違う寸前で、右へ曲がった。黒淵からは左手の方向、早川の方角である。

場所は風祭——大手のカマボコメーカーの工場がある辺りであった。

菊村が、毎年、釣りに利用する道である。その道を折れるとすぐに早川の堤防に突きあたる。そこへ車を停めて下へ下りれば、そこがもうちんちん釣りのポイントである。ブルドーザーで、川中が引っ掻きまわされたのが、そこである。

確かに黒淵であった。

曲がった時にちらっと見えたのだが、自転車の荷台に何か積んでいたようである。スコップのようなものであった。

菊村は、それが気になっていた。

板橋まで行ってから、菊村は引き返す決心をした。

自分もまた、あの巨鮎を見た人間として、奇妙にあの男や、あの巨鮎に魅かれているのである。

大きな鮎が、水底で腹を光らせて反転する光景を、何度も夢に見ていた。

ヘッドライトの中に、自転車の姿が浮かびあがった。すでに人は乗っていない。菊村は、自転車のすぐ後方に車を停めた。

外に出て土手に上る。

広く平らになった川原があった。

すぐ上を、川をまたいで走っているバイパスの灯りが、川原にぼんやりとした光を投げている。深く、青い闇の底を、風が吹いていた。

黒淵の居場所はすぐにわかった。

遠くの闇の中で、ちらちらと橙色《だいだいいろ》の灯りが揺れていた。

菊村は、ゆっくりと土手を下り、川原に立った。闇に、眼が慣れてきた。注意深く歩けば、転ぶ心配はない。

あれだけ荒涼としていた川原の石の間から、点々と緑色の草が伸びていた。信じられないものを眼にしたように、それらの草を踏まないよう、ていねいに菊村は歩いていった。

夜気の中に、濃く、植物の匂いが溶けていた。闇の奥から、川面を渡って吹いてくる風の中には、あの割ったばかりの西瓜《すいか》の匂い――鮎の匂いが微かに混ざっている。

瀬の音が、耳に響いている。

あの黒々とした重い水量の中に、たくさんの小さな若鮎が群れているのだと思うと、ふいに、ぞくぞくするような興奮が菊村を包んだ。

ほんの一瞬、頭の中を夏の陽差しが駆け抜けた。

かなり近くに寄るまで、黒淵は菊村に気づかなかった。黒淵は、闇の中で、必死にスコップを使っていた。

見ると、こちら側の岸の一部を、スコップで川の中に突き崩しているらしかった。激しい息づかいまで聴こえてくる。

「黒淵さん――」

菊村が声をかけた途端に、黒淵の動きが止まった。

「あんたかい」

すぐに、菊村だということに気がついたらしかった。

「車でそこを走っていたら、姿を見かけましたので。何をしてるんですか――」

「何をって——」

黒淵はつぶやき、スコップを持ったまま、菊村の横に近づいてきた。

頭につけていたヘッドランプをはずした。

川に向かって、そこに腰を下ろした。

やや離れて、菊村も横に腰を下ろした。

「色気のない川にね、少し色気を教え込んでるのさ——」

黒淵が言った。

「色気?」

「岸のどこかを少しでいいんだ。どこかをこう、少し崩しておけばね、あとは自然に、川の方が自由にのびのびとやってくれるのさ。だんだんとね。土が流されて、岩が残れば、少しいいポイントになる——」

「ええ。この瀬はほんとにまっすぐだから、鮎が休む場所がありませんね」

「そうさ。しかし、大水が出れば、こんなものいっぺんでどうなっちまうかわかるもんじゃない——」

「大水が出るのを楽しみにしてるんですか」

「ああ、してるよ。世間の常識からすれば、とんでもないことをやってるんだろうけどね——」

菊村と黒淵は、また少し黙った。

闇の中を黒々と流れてゆく、重い水の音に耳を傾けている。

横で、伸びてきたばかりのカゼクサの葉が、風に揺れてさらさらと音をたてている。

川の瀬音が闇の中に響いている。

「来てるね」

と、低く黒淵が言った。

「来てますね」

低く菊村が答えた。

「いっぱいだな」

「いっぱいです」

黒い水の中でひしめいている鮎の姿が、菊村には見えるような気がした。

「あいつだって来てるさ――」

黒淵が言った。

ふたりは、また黙ったまま、風と水の音を聴いていた。

「毎年、この頃になるとね。ガキの頃から、ひまさえあれば、川を見に来たもんさ。今年はどのくらい遡上《あが》ってきてるか、どの辺に溜まっているのかってね――」

黒淵が深く息を吸い込んだ。

「この数年、あいつのことばかり考えていた。今だってそうだ。あいつは今どこにいるのか、どの辺の水中で眠ってるのかってさ。二月頃にはどの辺にいて、三月頃にはどの辺り、四月にはここで、五月ならばこの辺りだろうってね。川を見てるとね、そんなことが見えてくるんだよ。最終的に、あいつは、この上の山根《やまね》の淵まで入る。このあたりをあいつが通るのは六月頃だろう。休まずにここを抜けていくかもしれないし、もしかしたら、おれが造った袖《そで》で休んでいくかもしれない。そんなことを考えてるとね、楽しくてね、ぞくぞくしてくるんだよ」

川の音――。

風の音――。

「おれの足音もね、みんなあいつには聴こえてるんじゃないかって思うよ。たくさんの足音の中からね、あいつだけは、おれの足音を聴き分けてるんじゃないかってね。少なくとも四年、今年を入れれば五年は生きていて、五十センチは越えている鮎だからね。それくらいはわかっても不思議はないだろうって気分になってくるのさ」

「――――」

「飲むかい」

黒淵は、前の石を指差した。

そこに、ウィスキーの瓶と、グラスが置いてあった。

始める前にひと口ふた口飲んだらしく、黒淵の息は、酒の匂いがした。

どんな眼の色をしているのか、そこまではわからない。かなり酒がまわっているらしかった。

「車ですから」

菊村が断ると、黒淵は、独《ひと》りでウィスキーを飲み始めた。

飲んで、腹を左手で押さえる。

そのあたりに、鈍い痛みがあるらしかった。

何かの病気かと気になったが、訊ねることはしなかった。

ぽつりぽつりと、鮎の話をした。

菊村が立ちあがったのは、三十分後であった。

黒淵も立ちあがって、スコップを握った。

足取りがたよりない。

「じゃ——」

そう言って背を向けた菊村に、黒淵が声をかけた。

「あいつは、おれんだぜ——」

低い声だった。

菊村は、答えるかわりに振り返ってうなずいた。また背を向けて歩き出した。

いくらも歩き出さないうちに、スコップが石をこじる音が響き出した。

——と。

その時、ふいに低い、悲鳴に似た声があがり、土と石が崩れる音と、水音がそれに続いた。

〝畜生！〟

と、たしかにそういう呻き声のようであった。

菊村は振り返った。

さっきまで黒淵が立っていたはずの場所に、人影はなかった。

転ぶようにして、菊村はそこに走り寄った。黒淵が立っていた場所の岸が、大きく川に向かってえぐれていた。

「黒淵さん」

菊村は、暗い川面に向かって低く叫んだ。

答えるものはなかった。

さっきと変わらない瀬音が聴こえるばかりだった。

「黒淵さん！」

泣きそうな声で叫んだ。

答えるものはなかった。

重い水音が、それに答えた。

闇の中から川面を渡ってきた風が、菊村の頬を撫でた。

たまらぬほどの、鮎の匂いのする風であった。

おろろ

1

〝オトリ鮎あります・鮎源〟

と、大きく朱書されたベニヤ板が、その引き戸に打ち付けられていた。

あまり上手とは言えないその文字が、黄ばんだ灯りの中に浮きあがっている。文字から垂れた赤いペンキの筋の盛り上がりが、小さくベニヤ板の上に影を落としていた。

引き戸のすぐ上の軒下《のきした》から、裸電球がぶら下がっているのである。その灯りに誘われてきた小虫や蛾《が》が、電球の周囲を飛びまわっていた。

数匹の蛾が、引き戸のベニヤ板の上にとまっている。

その蛾に混じって、〝オトリ鮎――〟の赤い〝オ〟の字の上に、緑色のアマガエルが張りついていた。灯りに集まってくる小虫をねらっているらしい。

この灯りに集まってくるのは、小虫や蛾だけではなかった。

年に一度、五月三十一日の晩には、人間もその灯りに集まってくる。

菊村敬介も、そのひとりだった。

菊村は、アマガエルごと、その戸を開けた。

濃い清流の匂いが、その部屋の中に満ちていた。

土間であった。

天井からやはり裸電球が下がっている。

入ってすぐ右手に、コンクリートで造られた生け簀《いす》があった。

そこに、すぐ下の早川からポンプで上げられてきた水が、音をたてて流れ落ちている。

生け簀の中には、鮎が群れていた。囮《おとり》として使用するための、鮎である。どれもが良型であった。体長が十八センチから二十センチ級《クラス》のものばかりである。

生け簀の上には、鮎が跳ねて外へ飛び出さないように、金網がかぶせてあった。

金網の上からも、黒々と鮎が水中を群れて疾《はし》る姿が見える。

挨拶をするよりも先に、まず、菊村はその生け簀の中を覗《のぞ》き込んだ。

菊村の影に怯《おび》えた鮎の群が、生け簀の中をうねるように動く。魚形をした強靭なバネの動きを見るようであった。

「来たね、菊さん――」

横手から声がかかった。

菊村が顔をそちらに向けると、そこに、〝鮎源《あゆげん》〟の親父の梶尾源治《かじおげんじ》が立っていた。源治の後方に、木のテーブルがあって、そのテーブルを囲んで、七、八人の男が木製の縁台に腰を下ろしていた。知った顔がいくつかある。

「我慢できなくて――」

菊村は言った。

菊村は、長袖のシャツを肘《ひじ》までめくった右手をあげて、右耳の後ろのあたりを人差し指で掻《か》いた。

菊村は釣り用に造られた、ポケットの多いベストを着て、背には登山用のサブザックを背負っていた。そのザックが、大きくふくらんでいる。釣り道具とは別に、ザックの中には寝袋が入っているのである。

「今年はどうですか」

菊村は訊《き》いた。

「天然ものの遡上《そじょう》がちょっと少ないみたいだね。でも、その分だけ、型はいいみたいだよ――」

源治が答えた。

すでに菊村の知っていることであったが、今年はどうかと鮎のことを訊くのは、挨拶代りのようなものであった。

昨年よりやや老《ふ》け込んだ源治の陽に焼けた顔が微笑した。眼尻に深い皺が刻まれていた。

微笑した時も、普通の時も、皺の数は変わらない。ただ、笑うとその皺の刻みが深くなる。

今年で、六十歳を越えるかどうかという年齢のはずであった。

源治で、この〝鮎源〟は三代目になる。

〝鮎源〟を始めた一代目が、源治の祖父の梶尾源三である。それを源治の父の源介が継いで、それをさらに源治が継いだ。

職業として、代々鮎を釣っては湯本の旅館に卸《おろ》していた釣り師の家系で、早川では古株である。

「座んなよ、今、お茶を入れるから――」

梶尾にうながされてテーブルに向かうと、

「よう」

「また会ったね」

テーブルについていた男たちが声をかけてきた。

一年に、そう何度も顔を合わせるわけではないが、毎年一度は必ず五月三十一日に、この場所で顔を合わす人間たちであった。

東京や千葉、横浜あたりから、鮎の解禁日にここへ顔を出す男たちだった。

彼等がどういう職業の人間たちかはわからないが、それぞれ皆社会人である。訊《たず》ねてみれば、職種もばらばらであろう。

そういう男たちが、年に一度、なんとか時間をやりくりして、申し合わせたわけでもないのにここに集まってくるのである。

三十代から五十代にかけての男たちであった。

「また始まりますね」

挨拶をしてから、菊村は腰を下ろした。

菊村のすぐ上に裸電球があり、座る時に菊村の頭の影が、テーブルの上で大きく動いた。

「ビール、どう?」

男のひとりが、缶ビールを差し出した。

「いただきます」

菊村の手が素直に伸びる。

テーブルの上には、飲みかけの缶ビールがいくつか置かれ、柿の種やサキイカなどがそろっていた。

男たちは、それらをつまみ、ビールを口に運びながら、鮎の話をしていたのである。

その話に、菊村も加わった。

話している最中に、ひとり、ふたりと腰をあげ、囮《おとり》の鮎を源治からもらっては、外へと出てゆく。それぞれに川原に散って、鮎を釣る場所を確保するためである。

ひとりがいなくなると、別のひとりが顔を出し、ふたりいなくなるとまたふたりほど顔を出すという具合に、テーブルについている人間の数はあまり変化がない。

菊村は、ひとわたり周囲を見まわしてから、時計を見た。

中根和雄との約束の時間までには、まだいくらか時間があった。二十分も早めにここに着いたのだ。ちんちん釣りをやる菊村には、囮鮎は必要ないが、ここの雰囲気が好きで、毎年顔を出す。

中根から電話が入ったのは、二日前であった。

電話は、久野《くの》の自宅ではなく、菊村の経営しているカメラ店にあった。

店を閉める、ちょうど七時頃である。

二十七歳になる店員の高橋が受話器をとり、

「お待ちかねのやつですよ」

にっと意味あり気な笑みを浮かべて菊村に受話器を渡した。

「今年はどうすんのよ」

いきなり、中根の声が響いてきた。

「どうするって――」

「やだなあ、とぼけちゃってさ。ずるいよ。毎年おれに誘わせるんだもの。今年は意地でもおまえに誘わせようと思ってたんだけどね、今日までとうとうお誘いがないもんだから、痺《しび》れをきらしちまってさ、それで電話をしたんだよ」

「いや、かけようとは思ってたんだ」

「ちぇ。ならばかけてよこせばいいじゃないか。これでまた悪者はおれ。だんだんおまえのカミさんに顔を合わせ辛《づら》くなるな」

「平気さ。うちのは、おまえのこと気に入っているから——」

「ちぇ」

舌打ちをしてから、ふいに口調を変えて、

「行くんだろ？」

中根が言った。

「少し迷ってるんだよ。解禁日の混雑のことを考えるとね——」

「解禁日はお祭りみたいなもんだから、とにかく行こうって昨年言ったのはおまえじゃないか——」

「小島さんは？」

「たぶんだめだろうな」

「どうして？」

「さっき電話したんだけど、カミさんが病気らしいんだよ」

「病気？」

「たいしたことはない風邪らしいんだけどね。でも、小島さんのカミさん、妊娠してるからね——」

中根が、声のトーンをやや落とした。

小島というのは、小島土建の社長をやっている小島雄二のことである。

三十八歳の菊村より、七歳年上の四十五歳のはずであった。

十二歳年下の女と暮らしていたのだが、四月にその女が妊娠しているのがわかって、つい一週間ほど前に籍を入れた。

「ついにね、年貢を納めちゃったよ——」

籍を入れたその晩に、よく飲みに来る〝酔処《よっとこ》〟に小島は顔を出し、無骨《ぶこつ》な顔に珍しくはにかんだ笑みを浮かべて、菊村にそう告げた。

中根も小島も、菊村の釣り仲間である。

三人とも、ほとんど友釣りはやらず、毛鉤《けばり》を使ったちんちん釣りが専門である。

中根は、菊村の中学時代の同級生で、小島は菊村のやっているカメラ店の客である。

小島が菊村にちんちん釣りを教え込み、菊村が中根を誘って鮎に引きずり込んだという、そういう仲間である。

「妊娠してる風邪っぴきのカミさんを放っては、鮎には行けないか——」

菊村が言った。

「おれかおまえだったら、わからないけどな——」

冗談には聴こえない口調で中根が答え、結局、ふたりで解禁日の鮎釣りに出かけることになったのである。

約束の十一時ちょうどに、中根がやってきた。

そう言いながら、〝鮎源〟に入ってくると、菊村と同じように、生け簀の中に視線を走らせた。

「お、いるねえ」

眼を細め、泳ぐ鮎をしばらく見つめてから、中根は顔をあげた。

「こんなのばかり釣れたらなあ――」

つぶやいて、菊村の傍まで歩いてきた。

「〝ちんちん〟じゃ、初日は、柳っ葉みたいのばかりだからな」

言いながら、テーブルの上のサキイカをつまんで口の中に放り込んだ。

源治や、顔見知りの連中に挨拶をすませると、立ったまま出された茶をひと口飲んで、行こうか、と菊村をせきたてた。

2

〝鮎源〟を出ると、菊村と中根は、土手の上を川沿いに上流に向かった。

左手の闇の下方に川原があり、その中央に真っ直にされた早川が流れている。

菊村と中根は、川沿いに、〝鮎源〟のある風祭《かざまつり》から入生田《いりうだ》まで歩くことに決めていた。

例年であれば、〝鮎源〟から下に降りたあたりで釣り場を捜すのだが、ブルドーザーが川底をさらった場所での釣りは、ここひとつ興がのらなかった。

「いい釣り場だったんだがね」

懐中電灯の灯りの丸い輪を足で踏みながら、中根がぽつりとつぶやいた。

どちらかと言えば痩せ型の、ひょろりとした中根の身体が、小さく縮んで見えた。

「そうだな」

菊村が答えた。

何年も通いつめて、知り尽くした釣り場であった。年毎に川相は少しずつ変化するが、川の基本的な構造――瀬や淵の部分が、急に入れ替わったりはしない。

どういう天候の時でも、その時間帯に合わせて、どういう毛鉤を使えばどこでどれだけ釣れるかということが、ある程度読める釣り場であった。川底の石の形まで記憶している場所だったのである。

〝川が真っ直になっちまってるんだよ――〟

そう言った黒淵平蔵の言葉が、頭の中に蘇《よみがえ》った。

ふいに、闇の奥から、風が清流の匂いを菊村の鼻孔に運んできた。

川面を吹き、鮎の香りをたっぷりと溶かし込んできた風である。

川原のあちらこちらに、焚火《たきび》の炎が見える。内部に灯りを点《つ》けた、いく張りかのテントも見えている。

低い歌声や、ぼそぼそという人の声が、風の加減でふいに耳に届いてきたりする。

――また一年が経《た》ったのか。

と、菊村は思う。

この一年間に、自分はどれほどのこともしていないように思える。

それがいいことなのか、悪いことなのか、菊村にはわからなかった。ともかくも、また鮎の季節がやってきたのだ。

瀬音が、絶え間なく耳に届いてくる。

川原の芒《すすき》を吹いてきた風の音。

菊村は、静かな興奮、ときめきを肉の内に覚えていた。

山根《やまね》の淵を過ぎてから、川原に降りた。

目の前を、高く繁った芒が塞《ふさ》いでいた。

「この向こうだったな」

中根が言って、懐中電灯の灯りを芒に向けた。

「ああ」

菊村はうなずいた。

人が足を踏み入れにくい芒の藪《やぶ》の向こうに、この日の釣り場があるのだ。昨日の昼に、ふたりで下見に来て決めた場所である。

夜の十二時を過ぎれば、いいポイントのほとんどに人が入り込んでいる。特に、車が停められる場所では、新顔が入り込む余地はなくなっている。

小田急線では、この日のみ、わざわざ新宿から最終の後に鮎電車が出る。

その電車が風祭や入生田に到着する二時以後には、たいしたポイントとは思えない場所の隅々にまで人が入り込んでいるのだ。

それより後に来た人間は、無理を承知で、他人のポイントとポイントの間に割り込むことになる。

芒の藪の中に分け入ると、その中には何本かの道ができていた。芒が倒れているのである。ひとりやふたりが歩いたのではこうはならない。

「もう、かなり入ってるな」

中根が言った。

中根の足が早くなる。

石がごろごろして歩きにくい芒の中の道を、菊村と中根は、進んで行った。

ふいに、川岸に出た。

広々とした風が、菊村の頬を吹いた。

川を右に見ながら下に下り、目的の場所に着いた。

「ちぇ、見ろよ」

中根が、川の中へ灯りを向けた。

川の中に、杭《くい》が打ち込まれ、その杭に板が打ち付けてあった。

〝伊沢省二〟

と、その板に黒い筆文字が書いてあった。

灯りを左右に動かすと、似たような杭があちらこちらに立っている。こちら側だけでなく、対岸の水中にも、その杭が立っていた。

「まいったな、こりゃ」

中根が、失望と怒りとを含んだ声で言った。

対岸の左手方向に、大きく焚火《たきび》が燃えていて、その周囲を、十人近い人間が囲んでいた。大きな声で騒いでいるわけではないが、話し声や、時折り高くなる笑い声がここまで響いてくる。

立て札は、そこの集団のものらしかった。

よく見ると、かろうじて、二ヵ所ほど、立て札と立て札との間に、竿《さお》を出せそうな場所があった。

「あそこと、そこか――」

菊村が言った。

あまりいいポイントではないが、もう、他へ移動しても、ここよりいい場所が見つかるわけではなさそうだった。

立て札ひとつをはさんで、隣り合う場所であった。

ザックを下ろし、とにかく、そのポイントを正面に見る場所の岸に、菊村と中根は竿を出した。ふたつのポイントの中間あたりの岸辺の芒を倒し、寝袋をそこに出してその中に足を突っ込んだ。

煙草を喫《す》った。

喫っているうちに、ようやく菊村の気分は落ち着いてきた。

「呑《の》もうか?」

中根が、ザックの中から缶ビールを取り出して、それを菊村にすすめた。

蓋《ふた》を開け、芒の中に身を潜《ひそ》めたまま、缶の縁《ふち》と縁とを合わせた。

草と芒の中に身体を沈めると、川の瀬音が遠のいた。しかし、その瀬音の微妙な色あいは、かえってはっきりと聴こえてくるようであった。獣になったような気がした。

静かな中に、どこから響いてくるのか、ぼそぼそという人の声が聴こえてくる。闇の中に身を潜めて、低く話をしている人間たちがいるのである。

闇のあちこちに、時折り、ふっとオレンジ色の灯りが点《とも》る。

ライターの炎である。

闇の中に身を置いた人間たちの、胸に秘めた闘志をかい間見るようであった。

鮎だけではない。

川原のそこやあちらに、ひしひしと人間たちが潜んでいる気配がある。

秘密の集会か、サバトにでも出かけてきた人間たちが、儀式が始まるのを、凝《じ》っと待っているようであった。

すぐ眼の前の水中に、鮎がひしめいているのかと思うと、ぞくぞくするような興奮が、静かに自分の肉の中に満ちてくる。

菊村が、缶ビールを、何度目かに唇に運んだ時、水辺に近い草の中から、美しい青みを帯びた黄色い光が、ふわりと水面の上空に漂い出た。

そういう光を放つ刃物を投げたようであった。

蛍であった。

蛍は、風に小さく流されて、すぐに闇のどこかに紛《まぎ》れて見えなくなった。見えなくなってからも、蛍の光が闇の宙空に描いたそのラインは、遠い夢の残像のように、しばらく菊村の中に残っていた。

蛍だけではなく、人間も、時折り姿を現わした。芒の獣道を掻き分けて、黒い熊のような人影がぬうっと現われては、持っていた灯りを立て札と、菊村たちに向け、小さく舌打ちをする。

「もう来てるのか――」

そう言って、またごそごそと移動してゆく。

菊村たちと同じように、別の日に下見に来ていたのであろう。今日一日、いそいそと仕事をすませ、家族にひと通りのサービスをしてから、家を出てきた男に違いない。あるいは、東京の方から来た人間であるのかもしれなかった。

六月一日に、どのポジションを取るかということで、釣果《ちょうか》には雲泥の差が出てくる。いいポイントをねらえた人間とそうでない人間との差は、ちんちん釣りで、多ければ百尾からの差があるのだ。

海水性のプランクトンを食べて育った鮎の食性は、川に遡上してからもしばらくは残っている。淡水域に入った鮎は、まだ、水生の昆虫や、水面に落ちた虫などを食べたりするのである。

毛鉤を利用するちんちん釣りは、鮎のその食性に合わせた釣りである。六月いっぱいから、七月の半ば近くまでは、朝夕に、この釣法で、かなりの数の鮎を釣ることができる。特に、解禁初日から最初の三日間は、信じられない数の鮎が初心者にもあがる。鮎の個体数も多く、まだすれていないためである。

初日に、毛鉤にかかる鮎のほとんどがまず釣りあげられ、二日目と三日目で、初日とやや近い数の鮎があがる。

その後に、むろん天候やその日の水温等に左右はされるが、釣れる鮎の量が、釣り人のレベルに合わせて安定してくるのである。

ビールを飲みながら、中根と話をしているうちに、対岸から、高い興奮した人の声が響いてきた。

「知らねえよ、そんなの――」

強い口調の男の声だった。

その声にかぶさって、別の男の声が届いてくる。

「だから言ってるじゃないですか。ここは、ぼくの場所なんですよ」

対岸の岩の上にふたつの人影があった。

「こんな所に立て札を並べやがってよ、本人はどっかで酒なんか飲んでて、誰の場所も糞もねえよ。本人が、ちゃんと釣り場の前にいて、初めて自分の場所だって言えるんだぜ——」

「別の場所って言いますけど、家に帰ってるわけじゃないし、すぐそこで仲間とビールを飲んでただけじゃないですか。ここは、昨日の夕方に来て、ちゃんとぼくが確保したんですから。後から来たあなたが遠慮するのが本当じゃありませんか——」

「うるせえなあ」

後から来たらしい男の声がして、一方の人影が、ざぶざぶと水の中に入ってきた。立て札をひっこ抜いて、岸に放り投げた。

そのまま岩の上にもどった男は、無言で岩の上に座り込んで竿を出し、その岩の上に置いた。

焚火《たきび》の方から、数人の人影がやって来て、岩の上に座り込んだ男に何か言ったが、男はもう何も答えようとしない。

「どっちもどっちだよなあ——」

声をひそめて、中根が囁《ささや》いた。

ビールを飲み終えたらしく、右手の中で缶を潰《つぶ》して、その空缶を横のザックのポケットの中に突っ込んだ。

「それにしても、あのおっさんいい度胸をしてるよ」

後から割り込んできた男の場所は、対岸では一番いい場所であった。何日も前からその男は、そこに眼をつけていたに違いない。

しかし、先にこの場所に来て、そこらに立て札を立てていった連中も、やはりこの場所に眼をつけていたのだろう。それも遠くから来た人間たちのようであった。

前の週の休日に、仲間の誰かが車で下見に来て、この場所を選んだのかもしれなかった。

「いいポイントを見つけちゃってね。皆んなで行っても大丈夫なくらいいい場所だよ」

溜り場の釣り具屋かどこかで、仲間にそんな報告をしている男の姿が浮かんだ。

それにしても、本来は誰のものでもない川のある場所を、自分のものだ誰のものだと言うのは奇妙な気も菊村はする。

このトラブルがあって、周囲の闇に、不思議な熱気のようなものが満ちた。

白けた風な感じがあるのは、焚火を囲んだ連中である。焚火を囲んでいた人間たちが、ひとり、またひとりと焚火を離れ、闇の中に散り始めた。

その連中の何人かが、下流の瀬を渡ってやってきた。それぞれの立て札の場所に移動してくる。

菊村たちのそばにやってきたふたりの男が、自分たちの立て札の間の石の上に置かれた竿に気がついたらしい。

「もう来てるよ」

男がつぶやいて、後方の芒の中に灯りを向けた。

眩《まぶ》しい光が、菊村の眼を射た。

「今晩は――」

菊村が言うと、

「あ、どうも」

灯りを向けた男が頭を下げた。

立て札の前にやってきた男たちが、芒の繁みを分けて、そこに腰を下ろした。

菊村と中根は仮眠をとることにしたが、なかなか寝つけるものではなかった。

「眠れないね」

寝袋の中から、中根が声をかけてきた。

菊村はうなずいた。

眠ろうとすると、何でもないはずの瀬音が耳について離れない。

「こんな時に、いいアイデアでも浮かべばいいのにな――」

中根が、誰にともなくつぶやいた。

特に、菊村の発言を期待してのものではなかった。

「どうなの、最近は？」

菊村が言った。

「書いてるよ」

低く中根が答える。

書いてる——と、中根が言うのは小説のことである。

中根は、菊村と同じ三十八歳で、まだ独身であった。

小田原のある企画会社が出しているタウン誌の編集室に、顧問格のライターとして籍を置いていた。

地元で発行している新聞に、連載の小説を一本持っている。

東京の知り合いを通じて、定期的に雑文の仕事が舞い込んできたりはしているらしいが、その詳しい内容については、菊村はよく知らない。菊村が知っているのは、中根が小説を専業にしたがっているということである。

ある中間小説誌の新人賞に中根が応募して佳作になった話が、三度の書きなおしの後、筆名でその小説誌に掲載されたことがある。四、五年ほど前のことだ。

その掲載号を菊村はまだ持っている。

中根が中央の全国誌に、小説で登場できたのは、後にも先にもその時一度だけである。

その時以来、小島雄二が中根を呼ぶ時は先生である。

「中根ちゃんも、いよいよ先生か——」

〃酔処〃で半分は冗談で言っていたのが、いつの間にかそういう呼び方になってしまった。

菊村がどうなのと問い、書いてるよと中根が答えて、それっきり会話がとだえた。

いくらかうつらうつらしたらしいが、菊村は本当に眠りはしなかった。

三時をやや回った頃、どちらからともなく、ごそごそと寝袋を抜け出して、ちんちん釣りの準備を始めた。

気配をうかがうと、あちこちで似たような作業が始まっている。

準備を終えた時には、東の空の端が、すでに夜とは言えない別の空の色に変化し始めていた。

3

その事件が起こったのは、九時半をまわってからであった。

九時までに、菊村は、三十尾を越える鮎をあげていた。小さなものが多いが、二十センチ級《クラス》のものが、三、四尾はいる。

おしなべて、昨年よりは型がよかった。

小さな鮎でも、引きは小型のナイフのように鋭利であった。二十センチ級《クラス》のものは、その鋭さの中に、さらに重みが加わる。

浮子《うき》に魚信《あたり》があり、軽く合わせると、水中でぎらりと銀鱗がひるがえり、浮子を青い水面下に引き込んだまま、糸が水面を切るように走る。

中調のカーボン竿の竿先が水中にまで引き込まれそうになる。

引きを楽しもうという気分と、楽しんでいるうちにばれてしまうことを恐れる気持ちがせめぎあう。それも、時間にすればほんの数瞬の間である。引きが強ければその分だけ、竿が元にもどろうとする力も強い。

竿を立てると、竿の弾力で、鮎が足元に寄ってくる。

寄ってきた鮎を攩網《たも》ですくいあげる。

釣れた鮎が大きい時には、菊村はつい周囲に視線を走らせてしまう。自分の釣った鮎の大きさを、周囲の釣り人に何気なく誇示《こじ》したくなってしまうのである。

自分の隣りの釣り人が、大物をあげるのを横眼に見るのはくやしい。激しいくやしさではむろんないが、針の先ほどはくやしい。だからその分だけ、自分に大物がかかった時には、周囲の者にそれを見てもらいたいと思う。

自分が、そういう子供のような精神状態になってしまうのが不思議だった。

晴れた日であった。

陽が昇るにつれて、気温があがる。

草についていた露が消え、叢《くさむら》が草いきれを含み始めた。

山の端《は》を出た陽が水中に差し込むと、水底の石の周囲で、水垢《みずあか》を喰《は》む鮎の銀鱗が、きらりきらりと陽を反射するのが見える。

九時をまわった頃から、魚信が遠のいていた。

周囲の釣り人は、ぽつぽつと遅い朝食をとり、ちんちん釣りから友釣りに切りかえている。

そして、九時半――。

上流で、悲鳴のような男の声があがったのである。

「どいて、すいません、どいて下さい！」

高い声で叫んでいた。

芒の繁みを押し分ける音と、足が水を蹴ちらす音が上流から近づいてきた。

菊村の釣っている岸側である。

「どいて下さい！」

声をあげながら友釣り用の長い竿を立てて、川の中に立ち込んでいる釣り人と竿の間をくぐり、水しぶきをあげてひとりの男が上流から下ってきた。

ほとんど全身ずぶ濡れである。

何度か水の中で転んだらしかった。

男の剣幕に押されて、釣り人たちがわきへどく。そこを、男が立ち止まり、駆け、あるいは岸の上にあがったりしながら下ってくるのだ。

信じられぬほどに、竿が曲がっていた。

誰かが水中から手で、ミチイトを引いてでもいるように、竿先がぐっぐっとしぼり込まれる。

相当な大物であった。

「大物みたいだね」

流していた仕掛けを手元にもどして、中根が言った。

「鮎じゃないだろう？」

菊村は言った。

鮎にしては、引きが強すぎた。

尺を越えるウグイか、あるいは放流された鱒《ます》の生き残りだろうと思った。おそらくは、何年か前の放流鱒が大きく育って、たまたま、その男の友釣りの仕掛けに引っかかったのだ。

巨大な魚影が見えた。

鱒!?

それを見た瞬間に、何かがどきりと菊村の背を疾《はし》り抜けた。

その魚影は、鱒にしては、やや長細いように一瞬見えたからである。

「鱒だよ」

「鱒——」

対岸から声がかかる。

そんな声も、男の耳には届いていないらしい。

仮に、水中糸に〇・四号クラスを使用しているとしても、それがここまで切れずにいたのは奇跡のようなものであった。

男は、顔を引きつらせて、菊村と中根の前を通り過ぎた。

その少し下流で、川の中に立ち込んで釣っている男がいた。腰に攩網《たも》を差している。

「攩網を、攩網を！」

下ってきた男が叫んだ。

ミチイトが、水面を滑るように、川の中に立ち込んでいる男の方に寄ってゆく。深さは男の膝くらいまでである。ぐんぐんと走ってゆく魚影が見えている。

立ち込んでいた男が、ようやく下ってくる男の叫ぶ言葉の意味を理解したらしい。

近くの男に自分の竿をあずけると、腰から攩網を引き抜いた。

その時には、魚影は川の中ほどに進み始めていた。

「こっちへ寄せろ！」

攩網を持った男が言った。

魚自身の意志か、竿を持った男の意志かはともかく、ふいに魚影が方向を変えて、攩網を持った男の方に動き始めた。

周囲の視線が、ふいのこのゲームに集まっていた。

男が、腰を落として、攩網ごと両腕を水中に沈めた。

魚影の動いてゆくすぐ鼻先である。魚影が、ミチイトの動きに逆らうように、方向を変えようとする。

その方向へ、つんのめるように攩網を持った男の身体が泳いだ。しぶきをあげて、男の身体が水中に倒れ込んだ。倒れ込みながらも、攩網を上にすくいあげていた。

あげられた攩網の中で、巨大な魚影が尾を振った。身を〝く〟の字に曲げているのに、なおその魚の尾は、攩網の外にあった。

魚影が、強烈なバネのようにしない、攩網の中から空中に飛び出していた。

ミチイトが強く引かれた。

空中で、みごとにハリスが切れていた。深さ十センチに満たない岸寄りの浅瀬に魚影が落ちた。

「ひっ」

悲鳴をあげて、男は竿を放り出していた。

狂ったように水を跳ねあげて、深みに逃げようとする魚影に頭から突っ込んでいた。

両腕にその魚影を抱えた。なおも逃げようとするそいつを、声をあげて川原の岸に放り投げた。

「たまらねえよな」

まだ、その魚が鱒だと思っている、菊村の近くの男が声をあげた。ポイントを、たかが鱒のために荒らされたと腹をたてているのである。

その鱒を足元にして、呆然《ぼうぜん》と男はそこに突っ立っていた。

石の間で、巨大な魚が跳ねていた。

最初に近づいたのは、攩網で、水中からその魚をすくいあげた男であった。

「鮎だな」

と、その男がつぶやいた。

「鮎ですね!?　鮎ですね!?」

突っ立っていた男が、確認を求めるようにつぶやいた。

膝ががくがくとしている。

「鮎だ」

攩網をまだ手に持った男がまた言った。

ざわざわと、人が、その巨大な魚の周囲に集まり出した。

「鮎だってよ」

「鮎?」

「まさか!?」

そういう声が周囲にあがる。

まず中根が、その後に続いて菊村が歩き出した。

「鮎だよ、菊さん」

中根が言った。

「凄《すげ》え——」

そのまま中根は息を飲んだ。

まさしくそれは鮎であった。太い腹に砂がついているが、間違えようはなかった。

菊村は、中根の横に立ったまま、その、巨鮎を呆然と見つめていた。

4

「まいっちゃったよなあ――」

中根は、二杯目の生ビールを口に運びながら、〝酔処〟のカウンターで溜め息をついた。

その横に、菊村が座っている。

カウンターの上に、今日、釣ったばかりの鮎の塩焼きが乗った皿が並んでいる。

「さっきからそればっかりだね、先生――」

つるんと頭の禿《は》げた〝酔処〟の親父が、鰺《あじ》のたたきを料理《つく》りながら言う。

「それだけでかかったんだよ。見た時は、目玉をぶん殴られたようなショックだったよ。初日にあんなの見せられたんじゃ、たまらないな。ありゃあ、四十センチを軽く越えていたね――」

菊村に同意を求めるように、中根が言った。

菊村はうなずいた。

鮎は、それほど大きくはならない種である。二十センチ級《クラス》をあげれば、顔がついにんまりとする。二十五センチ級となると、通いつめてひと夏に何尾釣れるかどうかという大きさである。まれには、三十センチを越える鮎もいないではないが、四十センチを越える鮎というのは、いるわけはないと、誰もが考える。その鮎がいた。

ふたりは、あの鮎を見て、すっかりあてられてしまい、早々に竿をたたんだ。夜の七時に〝酔処〟で待ち合わせて飲もうということになり、つい十五分ほど前に、菊村は〝酔処〟の暖簾《のれん》をくぐったところだった。

中根は先に来ていて、鮎の塩焼きを肴《さかな》に飲んでいた。

「小島さんが顔を出すってさ――」

中根が、菊村の顔を見るなり言った。

「奥さんの方は？」

「だいぶよくなったんだってさ。さっき電話をして、あの鮎の話をしたら驚いてたよ。まだ信用してないみたいだけどね。とにかく、仕事を済ませたら、すぐにくるって言ってたよ――」

菊村も、中根も、小島も、この駅に近い、小便の臭いが薄く漂ってきそうなこの駅に近い路地の奥にある〝酔処〟の常連である。

一緒に釣りに出かけた日の晩は、たいていここで一杯やることになっていた。

「しかしねえ――」

三杯目の生ビールの入ったジョッキを唇からカウンターにもどしながら中根が言った。

「これから、おれの鮎は、少し変わっちまうだろうな――」

「変わる？」

と、菊村は訊いた。

「あれ以上の鮎には、これから先、もう一生お目にかかれないってことさ。ましてや、自分で釣るなんてさ。あれがさ、三十センチや三十五センチの鮎ならさ、いつか自分もって思うだろ？　しかし、あれだけのものになったんじゃ、もう、二度と釣れるもんじゃないだろう——」

「そうだろうな」

「人づてにさ、話に聴いたんならこれもんだろうけどさ——」

中根は、右手の人指し指に唾《つば》をつける真似をして、その指先で右目の眉をぬぐう動作をした。

「でも、実際にこの眼で見ちまったんだからねえ——」

しみじみと言った。

言ってから、菊村の顔を見つめた。

「どうした？」

「おまえ、笑うなよ」

中根の眼が、いつになく真剣に菊村を見ていた。

「言ってみろよ」

「おれはさ、なんか、こう急にね、鮎のことで力が抜けちゃった代りにさ——」

「——」

中根は、視線をそらせて、下を向いた。

「せこい仕事やごちゃごちゃをみんな放り出してさ、めいっぱい、小説をやってみたくなっちまったんだよ。売れなくてもいいからさ、とりあえずのありったけの力を使ってみたいんだよ。書き終わった後に、体力なんかひとかけらも残らないくらいにね。四十になる前にさ、一度くらいは髪ふりみだして、眼ェ吊りあげて、歯を嚙《か》み鳴らしてさ、骨の軋《きし》むような仕事をしてみようってさ――」

言いながら顔をあげて、中根はひひひと照れたように笑った。

「自分で笑っちゃうんじゃゃ、たいしたことないな」

中根がそう言ってまた笑った。

また、鮎の話になった。

菊村は、黒淵のことを考えていた。

――あれは、黒淵の鮎だ。

そう思っていた。

昨年の十二月に、黒淵と共に見た鮎だと思った。

死んだ妻の陰毛で造った黒水仙という毛鉤で、執拗にあの鮎を追っていた黒淵がその話を耳にしたらどうなるのか。

巨大な鮎が釣れたという話は、たちまち釣り仲間の間に広がるに違いない。釣りの本を出している出版社から取材があってもおかしくはない。四十センチを越える鮎というのはそれほどの事件なのだ。

隠そうとしても、いずれは黒淵の耳に、それは届く。

半月ほど前、黒淵は、真っ直になった川の岸を崩している最中に、夜の川に落ちている。

そのまま百メートルほど近くを流され、黒淵は川から這《は》いあがってきた。大量の水を飲んでいた。

その黒淵を、川から引きあげ、菊村は車で家まで送って行った。

あの晩以来、黒淵とは会っていない。

黒淵が、あの鮎が釣られたと知った時、どんな顔をするのか。哀れに思うと共に、奇妙にサディスティックな興味さえわいた。

そんなことを考えているところへ、小島が姿を見せた。

「見てきたよ」

入ってくるなり、小島は言った。

「何をですか」

中根が訊くと、

「鮎だよ。先生が電話で言ってたやつ——」

「あれを見たんですか」

「ああ。電話を切ってから、もう気になっちゃってね、〝鮎源〟の梶尾さんに電話をしたんだよ。そうしたら、梶尾さんが、その鮎ならうちにいるよって——」

「〝鮎源〟に!?」

「生《い》け簀《す》で元気に泳いでるってさ。釣った人があずけて行ったんだって。それで今、ここへ来る前に見に行ってきたんだ。大きさは、四十四センチ。梶尾さんも驚いてたな」

「そうですか――」

答えた菊村の肩を、小島の分厚い手がぽんぽんと叩いた。

「現場にいたんだろう？　たいへんなものを見ちまったな。うちの女房《やつ》を放っておいても、今日は行くんだったよ」

小島の声も興奮していた。

5

「何だって？」

菊村の報告を受けた瞬間に、黒淵の眼が吊りあがった。

場所は、巨大な喰《は》み跡《あと》のついた石が置いてある黒淵の家の玄関であった。

小島が来てから、一時間ほどで〝酔処〟を切りあげ、菊村は歩いて久野《くの》に向かった。

途中で黒淵の家に顔を出すつもりだった。

暗い路地の奥に、トタン屋根の、古い、黒淵の住んでいる借屋がある。

家に、灯《つ》りは点いていなかったが、菊村が声をかけると、黒淵の低い声が、家の中から響いてきた。

菊村が名を告げて玄関を開けると、ほとんど同時に玄関に灯りが点いた。

「あんたか——」

そこに黒淵が立っていた。

しばらく見ない間に、その顔からは、肉が削げ落ちていた。

その黒淵に、菊村は、例の巨鮎のことを話したのであった。

黒淵は、呆然とした顔つきになり、

「どのくらいの大きさなんだ？」

菊村に訊いた。

「四十センチを越えているそうです」

菊村は答え、その鮎が、まだ〝鮎源〟の生け簀にいることを黒淵に伝えた。

この言葉を耳にした時には、もう、黒淵は下に下りていた。

サンダルを足につっかけている。

「どうするんですか——」

「見に行くんだよ、その鮎をな」

黒淵は答えて、菊村を押しのけるようにして外に出た。

「一緒に行きます」

菊村は、黒淵の後を追った。

6

途中でタクシーを拾い、それで菊村と黒淵は風祭に向かった。

タクシーを拾う前に、菊村は、〝鮎源〟に電話を入れている。

これから、知り合いとあの鮎を見に行きたいのだがと菊村が言うと、源治は、さっきも小島が鮎を見にやってきたと、笑って答えた。

やってきた菊村を、源治は赤い顔で迎えた。

さっきまで、残っていた馴染《なじ》みの釣り客と一杯やっていたのだという。

菊村の後方にいる黒淵に、源治が眼を止めた。

「――平蔵か!?」

と、源治は言った。

「久しぶりだな」

平蔵は答えた。

「知り合いだったんですか――」

菊村が言うと、源治がうなずいた。

「昔の釣り仲間さ」

黒淵が答えた。

「小田原にもどってきたという話は聞いていたよ――」

源治が言った。

「ここへ顔を出すつもりはなかったんだがね、今日釣れたという、でかい鮎を拝ませてもらおうと思ってね」

黒淵が、眼を伏せ、卑屈ぎみに声のトーンを低くして言うと、源治の顔に微笑が浮いた。

「鮎からは足を洗えなかったか」

下駄をつっかけて、玄関に下りてきた。

下駄を鳴らしながら、源治が、二十メートルほど離れた小屋に向かって歩き出した。

その後方に、黒淵と菊村が続いた。

戸を開けて、中へ入った。

鮎の匂いの溶けた清流の香りが部屋の中に満ちていた。

灯りが点いた。

「鮎は、その生け簀の中さ」

源治が言った。

黒淵が、ゆっくりと、緊張した顔で、生け簀の中を覗き込んだ。

そこに、巨大な鮎がいた。

他の鮎が、生まれたばかりの稚鮎に見えるほど、それは黒々と大きかった。

凝《じ》っと、まばたきもせずに、黒淵は、その鮎を覗き込んでいた。

額に汗の玉が浮いていた。

たっぷりと、三分間は、黒淵は鮎を睨んでいた。

その間、誰も言葉を発しなかった。

黒淵が顔をあげた。

「見させてもらったよ」

低くつぶやいた。

「見たか」

「充分にね」

黒淵と源治がかわした言葉は、それだけであった。

7

川を前にして、黒淵と菊村は立っていた。

月が出ていた。

すぐ足元が、半月ほど前、黒淵が崩していた場所である。その岸が少しえぐられて、水が入り込んでいる。

黙ったまま、川へ向かって土手を降りてゆく黒淵に、菊村が続いて、ここまでやってきたのだ。

黒淵は、言葉を発しなかった。

痩せた頬が、月明りに見えている。

黒淵は、黒々と流れてゆく川を見つめていた。

やがて、低い声が黒淵の口から洩《も》れ始めた。

くっくっと喉を鳴らす声であった。

一瞬、菊村は黒淵が泣いているのかと思った。そうではなかった。黒淵は笑っていたのである。

菊村が声をかけた。

黒淵が、笑うのをやめて、菊村を見た。

「たしかに、あれは、でかい鮎だったよ——」

黒淵が言った。

「おれが、これまでに見た中じゃ、二番目に大きなやつだ」

「二番目？」

「一番目は、ちゃんとあんたも見てるじゃないか。昨年の十二月によ」

「黒淵さんがねらっていたのは、今見てきた鮎じゃないんですか」

「違うね」

はっきりと黒淵は言った。

「言ったろう、おれがねらっているのは、少なく見ても五十センチを越えているやつだって。あれはどう見ても五十センチは越えてない——」

確信に満ちた声であった。

「あんたもね、その鮎を見たはずなのに、そんな大きな鮎がいるわけはないと思い込んでいるから、今見た四十センチのやつを、あの鮎だと思ってしまったんだよ」

言ってから、急に、黒淵は腹を抱えてそこにかがみ込んだ。

「黒淵さん――」

「糞！　酒をやめたからって、すぐにはよくならねえか」

「どうしたんですか？」

「胃だよ。胃をやられてるんだ」

答えた黒淵の背が、大きくうねった。

咳込《せきこ》むようにして、川原の石の上に、口から何かを吐き出した。

それは、それまで胃の中に入っていたものであった。

それは、夜眼にもわかるほどの、鮮紅色に見えた。

「今年が、最後の機会《チャンス》なんだよ――」

呻《うめ》くように黒淵は言って、また赤いものを吐いた。

血の匂いが、鮎の香の溶けた夜気の中に混じった。

陰《かげ》鉤《ばり》

1

奇妙な天気であった。

分厚い雲が頭上でしきりと動いている。空の半分以上が、その雲で覆われていた。

雲のあちこちに、裂け目があり、その裂け目が、重なったり離れたりしながら、西から東へ移動してゆくのである。

箱根外輪山の上部は、その雲で隠されていた。

しかし、雲の裂け目から覗く空は、驚くほど青い。

雲の底は、暗い灰色をしているくせに、裂け目の奥に見える雲の頂《いただき》は、陽光を受けて白く光っていた。

そういう雲の裂け目から、太い光の柱が、幾本も、斜めに大地に降りてきている。

どうかすると、どこからか生温かい風に飛ばされてきたらしい小さな雨滴が、菊村敬介の頬を叩く。

七月の上旬——。

まだ梅雨の最中なのだ。

七月に入ってからこれまで、ほとんど雨らしい雨はなかったのだが、ようやく、本格的な雨が降り出してきそうだった。空が、そのための準備をはじめているらしかった。

台風が、ゆっくりと近づきつつあるのである。

〝もう二時間、この天候がもてば——〟

菊村は、四・六メートルのカーボン竿を握りながら、そう考えている。

中調子の渓流竿だ。ハエ用の竿を使っていた時期もあったのだが、ここ五年ほどは、この竿を使っている。ハエ用の竿は軽くていいのだが、菊村には、少し柔らか過ぎる。

二十センチ級《クラス》の鮎とのやりとりになると、操作性に欠けてくるのである。

かといって、渓流竿の、中硬や硬調を使うと、二十センチ以下の鮎の時に不満が残る。引きのおもしろさを味わうには少し調子が硬すぎるのである。

結局、今の四・六メートルの中調子の竿に落ち着いた。

渓流の大場所で、荒瀬の中から二十センチ級の山女魚《やまめ》を引き抜くには難があるが、早川で鮎をねらうとなれば、これほどの竿はない。

五・四メートルの渓流竿を使ったこともあったが、それでは、片手で操作するのに難がある。渓流に沿って上りながら山女魚や岩魚《いわな》をねらうのならいいが、同じ場所に立って、同じポイントをねらう鮎のちんちん釣りとなると、五・四メートルという竿は重過ぎるのである。振り込みの回数が多いため、一時間もやると、手首が痛くなってくるのだ。

午後の四時をまわった頃であった。

三時から始めて、一時間ほどで、五尾を釣りあげた。

どれも、下鉤《したばり》の青ライオンであげたものばかりである。

この時期としては、少し不調である。

昨年であれば、十尾はあげているはずであった。

やはり、渓相が変わったことが原因なのだろうかと、菊村は思う。

今年の初めに、このあたりから河口にかけて、ブルドーザーが、川底をさらったのである。そのため、渓相が一変してしまったのだ。流れそのものが別の場所に移り、真《ま》っ直《すぐ》になってしまっている。

昨年までであれば、わずか六十メートルくらいを釣りあがれば、昼のこの時間帯でもふた桁《けた》はあげているはずであった。あの石の陰でふたつ、あの落ち込みで五つと、だいたいの計算のたつ釣り場であった。

早朝か夕方であれば、一時間で二十尾くらいはいっているはずである。

それが、まだ五尾である。

いずれも、いまひとつという大きさであった。

やはり、上で釣るべきだったか――

と、菊村は想う。

これまでは、渓相の変化したこの場所を避けて、上流で竿を出していたのである。真っ直になった川で竿を出すというのが味気なかったからだ。

考えてみると、六月に鮎が解禁になってから、早川で竿を出すのは、これで十度目か十一度目くらいになるはずであった。三日から四日に一度は、竿を出している勘定になる。

しかし、そうは言っても、朝から夕方まで、一日まるまる竿を出しているわけではない。朝か夕方かの二時間か三時間――多くても四時間くらいである。

しかし、三日から四日に一度というペースは、普通ではない。

仕事も暇というわけではないのだ。

むしろ、忙しければ忙しいほど、つい川へ足が向いてしまう。

自分の車の中に、竿から仕掛けから、ウェーダー、魚籠《びく》まで、鮎釣りに必要なものは全て積み込んである。それで、つい、一時間でも時間が空《あ》くと、早川へ来てしまうのである。妻の美智子も、店番の高橋も、鮎の解禁になった六月七月は、毎年菊村がどうなるか承知しているが、さすがに今年の菊村にはあきれた様子であった。

菊村も、今年の自分は少し度が過ぎると思っている。

そう思いながら、つい、足が向いてしまうのである。

午前九時から昼までの間に、得意先をいくつかまわって納品をすませてしまえば、菊村自身がやらねばならない仕事というのは、ほとんど失くなってしまう。週に一度の休みには、まず竿を出し、週にもう一度、なんとか仕事のやりくりをつけて竿を出す。それで、週に二度も早川に通ってしまうということになるのだった。

そのようにして、すでに十度以上も早川に通ったことになるが、この場所で竿を出すのは、今年は初めてである。

風祭《かざまつり》――囮鮎《おとりあゆ》を売っている〝鮎源〟からすぐ川原へ降りた場所である。

この場所でも、夕方の五時をまわれば、ぼつぼつと魚信《あたり》が濃くなってくるはずであった。

さらに、陽の沈む、七時前後の二十分間は、狂ったように、鮎が毛鉤に喰いついてくるのだ。

しかし、たとえその時間帯でも、ポイントをはずすと、まるっきりあがらないことさえあるのだ。

〝少しはこの場所も覚えなくちゃあな〟

竿を振りながら、菊村は、そんなことを思っている。

今年いっぱいここへ通いつめて、もう一年それを繰り返せば、だいたいの感じはつかめてくるだろうと考えている。

何人かの釣り人が、上流と下流にちらほらと見えていた。

ほとんどが友釣りの人間である。

ドブ釣りをやっている人間がひとりいるだけで、ちんちん釣りをやっているのは、菊村ひとりだけだった。しかし、もう一時間ほども過ぎて、五時をまわる頃になれば、ちんちん釣りの人間が増えてくるはずであった。毛鉤でやるちんちん釣りは、朝まずめか、夕まずめがねらいどきなのである。

もしかしたら、馴染みの顔も、何人か見ることができるかもしれない。

五時まで仕事をやって、毎夕、竿を抱えて早川までやって来る人間もいるのである。夕方六時から七時までの一時間で、昼一日分の釣果《ちょうか》をあげることだって可能なのだ。

菊村は、ふと、小島雄二と、中根和雄の顔を思い浮かべた。

小島も、中根も、菊村の釣り仲間だった。

ふたりとも、鮎が専門で、それも友釣りやドブ釣りはやらずに、どういうわけか菊村と同じようにちんちん釣りばかりである。不思議なことに、菊村も中根も小島も、鮎釣りの醍醐味《だいごみ》ともいえる友釣りはやらずに、ちんちん釣りばかりをやる。

他の河川では考えられないことだが、小田原の、早川をベースにした釣り人の中には、そういう人間が意外と多いのだ。

同じ毛鉤釣りであるドブ釣りと比べてみても、ちんちん釣りをやる人間の方が数においては勝っている。

しかし、そのちんちん釣りの仲間である小島と中根の姿が、最近は見あたらないのだ。中根とは初日の解禁日に一緒に出かけただけであり、小島とも、六月の半ばに一緒に出かけたきりになっている。

それ以来、どちらとも顔を合わせないままになっている。

小島の方は、カミさんに子供ができたこともあって、そうそうは釣りにばかり出てもいられないのは見当がつく。そればかりではなく、小島土建の代表者という立場もある。菊村や、中根よりも、雑用が多くいそがしいはずであった。しかし、三人の中では、一番時間にやりくりのつくはずの中根の姿が見えないのは淋しかった。

〝せこい仕事やごちゃごちゃをみんな放り出してさ、めいっぱい、小説をやってみたくなっちまったんだよ〟

中根がそう言ったのは、解禁日の晩の〝酔処《よっとこ》〟でのことであった。

その日、菊村と中根の目の前で、四十四センチの巨鮎を釣り上げた男がいたのである。その話をひとしきりした後に、中根が、ふいに真面目な顔つきでしみじみとそう言ったのだ。

菊村が中根を鮎釣りに引き込んだのだが、中根を捕えていた憑《つ》きものが、ころんとひとつ落ちたような顔つきになっていた。

中根の言葉をかりれば、

〝髪ふりみだして、眼ェ吊りあげて〟

本気で小説を書き出しているのかもしれなかった。

川面を渡ってくる風の中で、ぽつんと、菊村だけが、川に竿を出している。

菊村は、川岸から一メートルほど水の中に立ち込んでいた。ウェーダーの膝あたりを、流れてきた水がさらさらと洗っていた。

その時、ふいに、魚信があった。

赤い玉浮子《たまうき》が、放り込んだ場所から三十センチほど水面を流れたところで、つん、と上流部に向かって斜めに水の下に潜り込んだ。

軽く合わせた途端に、さらに浮子が沈み込み、竿が絞《しぼ》り込まれた。

ミチイトが、斜めに瀬を切って対岸に走ってゆく。

手首に、魚の動きがぐりぐりと伝わってくる。ミチイトの潜り込んだ先の青い水中で、魚の腹が、ナイフを傾けたように、白く光った。

強い引きだ。

背が、緊張で熱い。

竿を立てる。

一度、対岸近くまで走ったミチイトが、もう一度、浮子を潜らせたまま瀬を渡って菊村の足元に向かって走ってきた。

攩網《たも》を出して、水中でぎらぎらと躍っているやつを丁寧にすくいあげる。

鮎だ。

一瞬、ウグイの大物かもしれないという考えが頭をよぎったのだが、それはまぎれもない鮎であった。

スレであった。

下鉤の青ライオンが、口ではなく、背にひっかかっていた。引きが強いはずであった。背がかりした時の鮎の引きは、特別に強いのだ。

スレというのがわかり、少し気落ちはしたが、久しぶりの大物だ。

二十センチは充分に越えている。

腹が太い。

菊村が、重いその鮎を魚籠に入れた時、背後から声がかかった。

「いい型《かた》ですね」

振り向くと、そこに、ひとりの男が立っていた。

老人と、そう呼んでもいいくらいの年齢のようであった。六十歳をいくらか越えているように見える。足に、フェルト底の長靴をはいていた。使い古した長靴であった。右手に、珍しい竹竿を持ち、左手に魚籠をぶら下げていた。

長い竿ではない。せいぜいが四メートルほどだ。

「三時からねばって、やっとです」

菊村は言った。

「わたしも、がんばりますか」

そう言って、男――老人は、右手へ移動し、菊村の上流部に場所をとったのであった。

2

五時をまわっても、釣果は上がらなかった。

あれから、十五センチ前後の型が、三つあがったきりであった。

三時から、二時間あまりで、まだ九尾ということになる。

場所を移動しようかと、菊村は考えていた。

しかし、しばらく前からそうは思いつつも、これまで決心がつかずに、結局は同じ場所で竿を出しているのである。

理由はふたつあった。

ここに竿を出す前に、川に沿って上下に歩いてポイントを捜したのだが、今、自分が竿を出しているこのポイントが一番条件が良さそうなのである。他の場所で竿を出しても、ここ以上に釣れるという保証があるわけでもなく、もうひとつ、あたりをつけていたポイントには、三十分ほど前に、別の人間が入ってしまったからだ。

夕方になれば、このポイントで、絶対に数があがるだろうと思っている。それに、先ほどあげた、大型《クラス》の鮎のことも気になっている。大きな鮎があがった同じポイントで、さらに、同じ級の鮎がかかる確率は、意外に高いのだ。

さっきのは、スレであったが、それでも、毛鉤に鮎が寄ってきたからこそ、引っかかったのである。少なくとも、あのポイントに、大型の鮎がいることは確かなのだ。

夕刻になり、喰いが立ってくれれば、あの級《クラス》の鮎がいくつかあがるはずだと、菊村は思っているのである。

だから、動かない。

もうひとつには、さっき、菊村よりひとつ上のポイントに入った老人のことがある。

その老人が気にかかっているのである。

その老人が、すでに、ふた桁を越える数の鮎を、そのポイントで釣りあげているのである。しかも、型のいい鮎であった。

そのポイントに入ってすぐに、老人はたちまち三尾の鮎を釣りあげた。菊村の入っている場所に比べ、それほどいいポイントであるとも思えないのに、小さな岩の下流部のトロ場で、老人は次々に鮎を釣りあげた。

菊村が見ているだけで、ふた桁を越えているのだ。実際には、二十尾近くもあげているのかもしれない。

ついつい、その老人の方に眼が行ってしまうのだ。

見ているうちに、菊村は、奇妙なことに気がついた。

老人が釣り上げる鮎には、スレが多いのである。三尾のうち、二尾くらいは、口ではなく背や腹に、鉤が引っかかっているのだ。

普通、スレというのは、偶然におこる。

本来は、鮎が口に咥《くわ》えるべき鉤が、口ではない別の場所に偶然に引っかかってしまうのがスレである。

友釣りや、コロガシ釣りは、最初からスレをねらった釣法と呼べなくもないが、それは意図した結果として、鉤が魚の身体に引っかかって釣れるわけであり、偶然性に比重を置くスレとはやはり分けて考えるべきであろう。

つまり、スレというのは、ちんちん釣りで三十尾鮎を釣ったとして、そのうちに、一尾あるかどうかというくらいの確率である。

どうして、その老人に、スレで釣れる鮎が多いのか――

それが気になって、菊村は、その場所を動けないのであった。

老人のポイントは、流れの中ほどに顔を出している小岩の下流部であった。

まず、手慣れた動作で、老人は岩の上流部へ仕掛けを落とす。浮子が、その岩の向こう側すれすれのあたりを流れ過ぎようとするのに合わせて、つい、と手前にその浮子を引く。ちょうど、仕掛けが底に沈みきったかと見えるタイミングである。

絶妙の竿さばきだった。

竿をあまり握ったことのない人間が見れば、老人が、わざわざ竿を操作して、その浮《う》子《き》を動かしているようには見えない。自然に、流れに乗って、浮子が、その岩が造ったトロ場に引き込まれたように見える。

それも、指一本分の太さの水脈に乗せているのである。

いつも同じ、その水脈に乗せている。

小波に乗って、赤い浮子がすうっと三十センチほど下ったあたりで、つん、と糸が引かれ、その時にはもう鮎がかかっているのである。

スレだ。

そうやって、老人は、さっきから何尾もの鮎を、スレで釣り上げているのである。

偶然なのか？

故意なのか？

偶然であるわけはなかった。

老人は、さっきから、同じ場所で、スレで鮎を釣り上げているのである。そのポイントに浮子を流しておいて、ただ竿をあげているのではない。それでは、基本的には、コロガシ釣りと同じである。

コロガシ釣りは、ミチイトに、たくさんの錨鉤《いかりばり》を付けて、それで鮎を引っかけて釣るやり方である。

ここぞと思う流れに鉤を流して、引く。

しかし、引く時に、鮎がかかるかどうかはわからない。

とにかく引く。

空《から》合わせである。

その空合わせによって、鮎が掛かる場合もあれば、掛からない場合もある。

掛かるか掛からないかは賭けである。

だが、老人の場合はそうではない。

明らかに、魚信《あたり》に合わせて、鮎を引っかけているらしいのである。

賭けではなくて、魚信という根拠がその合わせの裏にはある。

何故、それが見ていてわかるかというと、その老人がかならずしも、さきほどのポイントで、つねに合わせをしているわけではないからである。むしろ、合わせずに、そのまま浮子が流れてゆくケースの方が多いのだ。

そのかわりに、合わせれば、まず確実に鮎があがってくる。

何らかの魚信を、老人がその浮子の動きに見ているとしか思えない。

しかし、菊村には、その魚信がわからない。

小さな流れや、さざ波に乗って、浮子が動いているのはわかるのだが、とても、それが魚のなんらかのアクションによる動きとは見えないのである。

菊村にも、わかる魚信がある。

その時に、老人が合わせると、やはり鮎があがってくるのだが、その場合には、鉤はきちんと鮎の口に掛かっている。

菊村には、ほとんど空合わせにしか見えない合わせの時には、鉤は、鮎の身体の部分に掛かっているのである。

菊村が、手を休めて老人の方に眼をやっているうちにも、何尾かの鮎を、老人は釣りあげてゆく。

ポイントは、ほとんど同じであった。

水面上の広さで言えば、大人が片手を広げたくらいの面積しかない。そこから、老人は、次々と鮎を抜きあげてゆくのである。

「ほ……」

釣りあげる度に、老人は、小さく声をあげる。

その狭いポイントに、無尽蔵《むじんぞう》に鮎が群れているかのようであった。

菊村も、経験上でわかっている。

他の魚でもそうだが、いくら鮎が水中で群れていても、そこに鉤を投げ込めば、必ず鮎がその鉤に喰いついてくるわけではない。

魚――鮎が、上流から流れてきた餌を喰べるポイントは、ごく狭い範囲である。

他の人間が、まるで釣れなかったポイントに後から入って、次々にそのポイントから鮎を抜きあげた経験は何度もある。それは、最初の男と菊村が、一見、同じようなポイントに投げ込んでいるように見えて、実は、ほんのわずかに、そのポイントがずれているのである。

わずかに五センチポイントがずれただけで、鮎がまるで掛からなかったり、逆に入れ喰いになったりするケースはよくある。上流から、鉤がそのポイントを通過するように、浮子を流れに乗せてやるのだが、その流れの幅も実に様々だ。同じポイントを、縦に、あるいは左から、あるいは右から通過する流れが無数にあるのである。ただ、そのポイントへ鉤を流すだけでなく、どの流れに乗せてやるかで、釣果が大きく変わってくるのである。

そのポイントを、老人は、実に細《こま》やかに、正確に攻めているのであった。

溜め息が出た。

なおも眺めていると、奇妙なことに気がついた。

それは、スレで鮎が釣れる時には、必ず一番下の鉤であり、口に鉤が掛かって鮎が釣れる時には、必ずそれは下から二番目の鉤であるということである。

老人は、鉤を、二本しか使っていないらしい。

菊村の仕掛けの、半分の数の鉤である。

菊村が使用しているのは、上から順に数えて、

赤お染《そめ》、

黒龍《こくりゅう》、

八ツ橋《はし》の荒巻《あらまき》、

青ライオンの元黒《もとぐろ》、

その四本である。

今年は、青ライオンの元黒と、八ツ橋の調子が実によいことを考え合わせての結論がそれであった。

たいていの人間が、ちんちん釣りの時には、毛鉤を幾つか付ける。多い場合では、五つから七つも付ける人間がいるのである。中根和雄などは、少なくても五つは常に付ける。そのことから考えると、ふたつという老人の仕掛けの鉤の数は、少な過ぎた。

しかし、そのうちに、老人のその仕掛けのことも、気にならなくなってきた。

菊村の方にも、次々と魚信が出始めたからであった。

自分が釣れてくると、だんだんと横の方のことは気にならなくなってくるのである。

しばらく自分の方の浮子の動きに神経を奪われていると、

「や」

右手上流方向から声があがった。

老人の声であった。

眼をやると、老人は、竿を握った右手を持ちあげて、菊村に向かって微笑した。

老人の竿の先から、ミチイトだけが伸び、風に横に流されて、宙で揺れていた。

「切られちまったよ」

老人が言った。

「切られた?」

「さっき、大きいのを釣り上げる時に、横に走られて、水面から顔を出している岩の角でミチイトをこすってしまったんだよ。そこから切れちまったらしいな」

ほ、

と、老人は声をあげて微笑した。

そのまま、老人は竿を納めて帰って行ったのだが、菊村は、それからさらに一時間余りの時間にわたたって竿を出した。

七時を過ぎたあたりから、約一分間がピークであった。

二度投げて、一度は魚信が来る、そういうポイントを発見したのである。さっきまでは、何の魚信もなかったポイントだが、日没のほんの一瞬に、このようなポイントが出現する場合があるのである。

対岸に近い浅場で、少し上流で、石によって左右に分けられた流れが、再び一緒になる拳大《こぶしだい》ほどのポイントであった。そこへ落とせばまず魚信が来た。魚信のない時は、そのポイントからわずかにずれた時だ。

鉤から鮎をはずす時間ももどかしいほどであった。

〝見つけたぞ〟

興奮が、背に張りついていた。

ついに見つけたのだ。

これくらい何気ないポイントとなると、手さぐりのように捜さないと、とても見つかるものではない。菊村が見つけた、菊村しか知らないポイントである。

先ほどあげたやつよりは小さいが、それでもかなりいい型の鮎が、三尾に一尾はあがってくる。

灰色だった雲が、いつの間にか、さらに黒く沈んだ暗い色になっていた。見えていた裂け目もほとんどふさがって、空一面がその雲で覆われていた。

晴れている日であれば、七時二十分過ぎぐらいまで釣りは可能なのだが、その日は、七時十分過ぎた頃には、もう、浮子がよく見えなくなっていた。

それでも、浮子がけし込むのはなんとなくわかる。空合わせで引いても、三度に一度は鮎がかかってくるのである。

あらかじめ、用意してきておいたヘッドランプを頭に付けた。この時間帯でハリスがからんだ時にヘッドランプがあると楽に解くことができるからだ。

灯《あか》りを点《つ》けて釣った。

これが最後、これが最後と思いながら振り込んでいるうちに、ごつん、という手応えがあって、竿がひったくられたようになった。

浮子が、暗い水中に引き込まれたまま、上流に向かって逃げてゆく。

強く引いたら、糸が切れそうな気がした。

竿を立てたまま、竿の弾力で、力を溜め込んだ。

竿の弾力に引かれて、鮎は、今度は下流に向かって走った。

凄い速さで、これまで動いた分をいっきに下り切ると、さらに下流へ向かって動いた。

水面に顔を出した石をくるりと回り込んでから、ようやく、菊村の足元に引き寄せられてきた。

その鮎を、攩網《たも》ですくいあげる。

きれいに、上顎に引っかかっていた。

さきほどあげたものに匹敵する大きさの鮎であった。

上顎から、鉤をはずした時、菊村は、ようやく、それに気がついた。その鮎の背に、菊村のではない、別の鉤が引っかかっていたのである。

普通の鉤よりも、ふたまわりほど大きな黒い鉤であった。その黒い鉤が、その鮎の背に、深々と潜り込んでいたのである。

「これは」

菊村は、その鉤を抜き取った。

先端に返しのない鉤であった。

むろん、鉤だけではない。

ハリスもついていた。

その鉤が一番先で、そこから伸びたハリスの途中に、嚙《か》み潰《つぶ》しのガン玉がひとつ付いていて、そのさらに上のミチイトに、もうひとつの鉤が付いていた。

その鉤が、奇妙な鉤であった。

「毛鉤か――」

と、一瞬、菊村は思った。

何かを鉤に巻いてはいるが、それは、毛鉤ではなかった。毛鉤に特有の、ミノ毛もなければ、ツノもないのだ。鉤の胴に、何かが巻きつけてあるだけなのだ。

化鉤《バケバリ》に似てはいるが、それとも違っていた。

小田原のこのあたりでは、半分自己流で、鉤に自分で糸を巻きつけたものが、ちんちん釣りに使われることがあるのだ。自己流であるため、ミノ毛もかたちばかりのもので、ツノなどはないものさえある。普通、鮎用の毛鉤に巻かれるのは羽毛なのだが、化鉤の場合は、やや太めの、赤や、黄色の絹糸である。しかし、その鉤に巻かれているのは、絹糸でもなかった。

白?

いや、それは、銀とも赤とも青とも見える、不思議な色あいのものであった。

それが、ヘッドランプの灯りの中で、きらきらと光る。

その時、手の中で、鮎が大きく跳ねた。

「こいつ」

宙に踊った鮎を手で追ったが、指先が触れただけであった。

鮎は、そのまま水音をたてて落ち、たちまち見えなくなった。

ヘッドランプの灯りの中で、暗い水が動いているだけであった。

夜になっていた。

風に飛ばされてきた雨滴のひとつが、強く菊村の頰を叩いた。

3

〝鮎源〟には、まだ、灯りが点いていた。

入口の軒下からぶら下がった裸電球の周囲に、小虫や、蛾がまとわりついている。入口の引き戸のベニヤ板の上に、数匹の蛾と無数の小虫がとまっている。

そういう虫たちに混じって、一匹のアマガエルが板の上に張りついて、凝《じ》っと動かない。灯りに寄ってくる小虫をねらっているらしいが、虫が近くに来てもアマガエルは動こうとしない。

解禁日に合わせてやってきた口の晩に見たアマガエルと同じやつかどうかはむろんわからなかった。

アマガエルなど、どの個体を見ても、皆、同じような面つきに見える。

アマガエルごと戸を引き開けて、菊村は中へ入った。

入った所は土間であった。

右手に、コンクリートでできた生《い》け簀《す》があり、そこで、囮《おとり》用の鮎が泳いでいる。

天井から、裸電球がぶら下がっていて、部屋の中に、なつかしい陰影を造っていた。

奥に木のテーブルがあり、そこの椅子に、ふたりの男が向かい合って腰を下ろしていた。〝鮎源〟の梶尾と、そしてもうひとりは、しばらく前、菊村の横で、奇妙な釣技を見せた老人であった。

「どうだったね」

梶尾源治が声をかけてきた。

「夕方になってから、調子が出てきたんですが、それまではさっぱりですよ」

「これまで、通い慣れた人間は、皆、とまどってるみたいだね」

「これまで、上の方で釣ってたんですけどね」

「そう言えば、菊村さん、初めの日以来じゃないかい」

「ええ」

「で、何尾くらい?」

「三十尾は、少し越えてるんじゃないかと思うんですけれど——」

「上等さ。菊村さんじゃ、もの足りないかもしれないけどね」

菊村は、後ろ手に戸を閉めて、テーブルの方に向かって歩いた。

手に下げていた魚籠を、土間に置いた。

魚籠《びく》の中の鮎が、小さく跳ねて水音をたてた。

「どう、少し、飲《や》ってくかい?」

梶尾が浅く微笑して言った。

梶尾の眼尻に刻まれた深い皺《しわ》が、微笑するとさらに深くなる。

梶尾は、六十歳くらいにはなっているはずであった。早川で、代々職漁師をやっていた家系の男で、〝鮎源〟は、彼で三代目になる。

菊村がテーブルを見ると、その上に、地酒の〝あしかり〟の一升瓶が無造作に置いてあった。

一升瓶は、半分近くが空いており、梶尾と、老人の前のテーブルの上に、湯呑み茶碗が置いてあった。その碗の中に、それぞれ半分近く、酒が入っている。

一升瓶の横には、皿があり、その皿の上に、まだ湯気をたてている、焼いたばかりらしい鮎が乗っていた。

塩焼きの香ばしい鮎の匂いが、そこから漂ってくる。

鮎の乗った皿の隣に、もうひとつ皿があり、そこに、大根おろしがたっぷりと盛りあげられていた。その皿の横に、小皿があり、その小皿の上にも、あふれそうなほど、おろしたての生姜《しょうが》が山盛りになっている。

テーブルには、ふたつに輪切りにしたレモンが転がって、テーブルの板の上に、垂れた果液の染《し》みを造っていた。

「ちょうどいいところに来たようですね」

菊村が言った。

「さあ始めようかってとこでね」

梶尾が、テーブルの上に、菊村のための湯呑みを置いた。

「御馳走《ごちそう》になります」

菊村は、自分で木の椅子をひいた。

「菊村です。さきほどはどうも――」

老人に向かって会釈し、腰を下ろした。

「こちらは、浅川《あさかわ》さん。昔の釣り仲間でね」

梶尾が言うと、

「浅川善次《ぜんじ》です」

老人が、菊村に向かって頭を下げた。

「昔の釣り仲間というと？」

梶尾にともなく、浅川にともなく、菊村は訊《き》いた。

「二十年くらい前まで、小田原の板橋《いたばし》に住んでたんですよ。仕事の都合で、今は信州の松本の方に住んでるんですがね」

「仕事の？」

「夜逃げですよ」

釣りの話でもするように、浅川は、さらりと言った。

「箱根で売る、土産品のこけしを造る工場をやってたんですがね、それがうまくいかなくなってしまってね」

微笑しながら浅川は言った。

一瞬、菊村は、どう答えていいのかわからなくなった。

「ほら、この前、菊村さんが連れてきた黒淵平蔵と浅川は、同じ小学校でね。年は浅川さんの方が、みっつほど上さ」

梶尾が、菊村を助けるようなタイミングで、そう言いながら、菊村の湯呑みに酒を注《そそ》いだ。

「おや、平さんがここに来たのかい」

「ああ、さっき見せたでかい鮎を見に、この菊村さんに連れられて、ここまでやってきたのさ」

「あの鮎を？」

すでに、浅川も、あの巨鮎を見せられているらしい。

「ああ」

梶尾が答えると、浅川は遠い眼つきになった。

「鮎を、まだやめてなかったんだねえ」

しみじみとした口調で言った。

「そうみたいだね」

「つくづく、業《ごう》が深いんだねえ」

言ってから、浅川は小さく自分でうなずいた。

「わたしにしたって、向こうでも鮎を釣る川くらいはあるんだけど、年に一度はこの川で竿を出したくなってね。毎年、そうっとやってきては、ここでひと晩かふた晩やっかいになっていくんだよ。二十年前に、不義理をしたままのところがあるから、いつも、そうっと来て、そうっと帰ってくんだけどね」

湯呑みを持って、浅川は、それを自分の唇に運んだ。

つられたように、菊村も、自分の碗から酒を飲んだ。

「冷めないうちに、鮎をどうだね」

梶尾が、割り箸を乗せた取り皿を、菊村と浅川の前に出した。

浅川が鮎を取り、続いて、梶尾と菊村が鮎を取った。

生姜と大根おろしをたっぷりと取り、レモンの汁を鮎の上に絞って、醬油をかける。

臓《わた》を出してない鮎を、頭から丸ごと食べる。

テーブルの向こうに、開け放たれたままの窓がある。

窓の向こうは、闇で、何も見えない。

ただ、虫の音と、川の瀬音だけが、その闇の中から響いてくる。そこから吹き込んでくる風の中には、遠くで降り出した雨と、清流の匂いが溶け込んでいる。

「いいねえ」

浅川がつぶやいた。

吹き込んできた風の匂いを嗅《か》ぐ。

「早川の鮎の匂いだ……」

うっとりとした声で、浅川が言った。

風の中には、ほのかに、瀬の中に満ちた鮎の香《か》までが溶けているようであった。

「この鮎は、浅川さんが釣られた鮎ですか？」

鮎を食べながら、菊村が訊いた。

「ええ、さっき釣った分です」

浅川が答えた。

その柔和な顔を、菊村は見つめながら、

「ちょっと、訊きたいんですが……」

小さく口ごもりながら言った。

「何でしょう？」

「さっき、横から見てたんですが、何か、とてもかわった釣り方をしてらしたようですね」

「ははあ、わかりましたか」

「見てると、あがってくる鮎の半分以上が、スレだったみたいなんですが、あれは、特別な釣り方なんでしょう？」

「ええ、まあ、他では誰もやらないでしょうね――」

浅川は、梶尾に眼をやり、

「あの釣り方を知ってるのは、この梶尾さんと、さっき話の出た平さん。他に何人かいたかどうか。今となっては、この三人くらいじゃないでしょうか」

「三人……」

「いや、おれも、平蔵も、ただ知ってるってだけでね、できるのは、この浅川さんひとりだけだろうな」

梶尾が言った。

「どういう釣りなんですか?」

「だから、今、あなたが言った通り、スレで鮎を釣る釣りですよ」

「スレで?」

「ええ」

「しかし、浮子を使ってましたが、その浮子で、スレの魚信をとるんですか?」

「そうです」

「スレの魚信を、いえ、スレにするための魚信を、事前に浮子でとるということができるんですか?」

「できるんですよ、それがね」

はっきりと、浅川は言った。

〝まさか〟

菊村は、あやうくそういう言葉が口をついて出るのをこらえた。

スレで鮎を釣ったことは、菊村にもむろんある。さっきもそのスレで鮎を釣ったのだ。

しかし、それは偶然のことだ。それにスレの時の魚信は、ほとんど鉤に鮎が喰いついた時と区別ができない。しかも、それは、順序で言えばスレになってから浮子に魚信がくるのであって、浮子で魚信をとってから、スレにしているわけではないのである。

しかし、浅川は、その浮子で魚信をとってから、スレにすることができるのだと言っているのである。

菊村は、腰に付けていたバッグから、毛鉤ケースを取り出した。そのケースを開けて、中から何かをつまみ出した。

「これを見て下さい」

菊村は言って、それを、テーブルの上に置いた。

さっき、最後に釣り上げた鮎の背に掛かっていた、この日、初めて眼にした仕掛けであった。

「これをどこで?」

驚いた顔で、浅川が訊いてきた。

「さっき、竿をしまう前に釣りあげた鮎に引っかかっていたものです」

菊村は言った。

浅川は、その仕掛けをつまみあげ、

「これは、さっき、わたしが使っていた仕掛けですよ。鮎に、仕掛けを切られたってあなたにお話しした、あの時のやつです」

「その時に逃げた鮎が、わたしの毛鉤に喰いついてきたんですね」

「なんとまあ、こういう偶然というのはあるんですねえ」

感に耐えぬ声で、浅川は言った。

「これは、どういう仕掛けなんですか？」

「〝跳ねっ掛け〟と、源三さんは言ってましたね」

「源三さんて――」

「この〝鮎源〟を始めた、源三さんです。この仕掛けは源三さんが造ったんですよ」

浅川が言った。

「うちの爺さんだよ。おれも、この浅川も、平蔵も、言うなれば、その梶尾源三の弟子みたいなもんでね。みんな、鮎釣りのいろはは、うちの爺さんに教えてもらったようなものさ――」

梶尾が、菊村を見ながら言った。

「まあね、その三人の中じゃ、わたしも、平蔵も、鮎で身を滅ぼしちまったようなもんでね。どうにかまともにやってきたのは、逆に鮎を商売にしているこいつくらいですよ。なにしろ、わたしなんか、手形が落ちるって日にも、この川へ来て竿を出してたんだからねえ。今にして思えば、鮎なんかやらずに、その分のエネルギーを仕事に向けていたら、夜逃げをしないですんだかもしれないって思うんだけど、じゃあ、仮にもう一度やりなおせるとして、やっぱり、わたしは、こっちの方に――」

こっちのところで、浅川は、右拳から人指し指を一本立て、それをひょいと上にあげる動作をした。

「──通《かよ》っちまうんじゃないかって思ってるんですよ。結局、やりなおせやしないんだから、わからないんだけどね。そりゃあ、鮎で失敗をしたって言われて、否定はできないけどさ。しかし、鮎をやらなくたって、夜逃げはしたかもしれないし、それに、鮎があるんで、この川に竿を出したいという一念で、ふん張れた時期だってあったんだから……」

浅川は、また、酒を口に運んだ。

「聴いたよ。平さん、鮎を釣ってる間に、カミさんが死んじまったんだってねえ……」

浅川の湯呑みが空になった。

菊村が、その湯呑みに酒を注ぐ。

「〝跳ねっ掛け〟の話だったね」

浅川が言った。

「ええ」

菊村が答えた。

4

いつの間にか、二匹の蛾が、菊村の頭の上の裸電球に、しきりにからんでいた。

灯りをよぎる二匹の蛾の影が、テーブルの上や、浅川の顔や、梶尾の顔の上に揺れた。

「この鉤《はり》なんですがね」

浅川は、テーブルの上の仕掛けの、上の方の鉤を指差した。

見る角度によって、光沢に変化のある何かを羽毛のかわりに巻きつけた鉤であった。

しかし、今、テーブルの上でその鉤を見ると、さっき、ヘッドランプの灯りで見た時とは違って、色褪《あ》せて見えた。

「いったい、何が巻いてあると思いますか？」

「わかりません」

正直に菊村は答えた。

梶尾は、その答を知っているらしく、静かに、黙ったままふたりのやりとりを聴いている。

「魚ですよ」

浅川が言った。

「魚？」

「ベラです」

「ベラというと――」

「その辺の海でも釣れるベラです。その鱗《うろこ》を落としたベラの皮を、その鉤に巻きつけてあるのですよ」

「皮を？」

「ええ。ベラの皮を、一ミリよりもさらに細く切って、鉤に巻きつけたのがこれです」

「――――」

「ベラの皮といっても、どの部分でもいいというわけではありません。ちょうど、横腹の色が、青から赤に変化しているその境目あたりの皮が一番いいんです。まず、そこの皮をはぎ、ていねいに細く切ってから陽陰干《ひかげ》しにし、それからもう一度濡らして、この鉤に巻きつけるのですよ。ていねいに鱗の部分が、外側になるようにね。化鉤《バケバリ》の変種みたいなものなんですが、巻き終った時、鉤の胴が、化鉤よりもだいぶ太くなります」

「ええ」

「今は、乾いているので、それほどでもありませんが、これがいったん水中に入ると、実に美しく、きらきらと光るんですね。それに魅かれて、鮎が寄ってくるんですよ」

「――――」

「澄んだ水の中で、これを水中に垂らして実験したことがあるんですがね、この鉤が流れてくると、急に、鮎が興奮したようになって、凄い勢いで疾《はし》ってくるんです。でも、咥《くわ》えない。咥えるのは、寄ってきた鮎のうちの二割くらいです。ほとんどが、咥えずに、身を反転させて、去ってゆきます――」

「そうですね」

そういう現象であれば、菊村も毛鉤で何度も経験している。澄んだ水底の石に鮎が群れているのを見て、そこに毛鉤を流したからといって、その鮎が釣れるわけではない。群の中から何尾かの鮎が、毛鉤に寄って来はするが、決して、そういう鮎は、毛鉤を咥えようとはしないのだ。そういうくやしい思いは、何度もある。

「しかし、このベラ鉤が、普通の毛鉤と違うのは、普通の毛鉤よりも、もっと近く、ほとんどすれすれにまで鮎を近づけることなんです。それが、どういう理由によるのか、わたしにはわかりません。色と臭いだろうと、源三さんは言ってましたが、源三さんも、はっきりそれを調べたわけではありませんから。しかし、この鉤が、すぐ近くまで鮎を引き寄せるということは本当です」

「はい」

「寄ってきた鮎が、どういう動作をするか、御存知ですか？」

「反転して、逃げるんじゃないんですか？」

「そうなんですが、もう少し正確に言うと、この鉤を通り過ぎるんです。通り過ぎてから、まだ身体が全部通り過ぎ終えないうちに、尾で水を叩いて反転するんですよ。しかも――」

そこまで言って、浅川は、菊村を見た。

「あなたは友釣りをしたことがありますか？」

菊村に訊いた。

「いえ」

「残念ですね。友釣りをされる方ならわかると思うんですが、反転しながら、鮎は、この鉤に、自分の身体をこすりつけるような動きをするんです。まるで、囮《おとり》の鮎を、縄張りを持っている鮎が追う時の動作にそっくりなんですよ――」

「――」

「もちろん、わたしは、鮎が、この鉤のことを、縄張りに侵入してきた鮎と間違えているのだというつもりはありません。しかし、そういう動作をするのですよ」

「――」

「その時に、鉤に寄ってきた鮎の身体が、ミチイトに触れるんです。触れないにしても、浮子《うき》から下のミチイトを尾か何かで結果としてあおるんですね。もしかすると、自分の身体に触れたミチイトを、振り払おうとして、大きく身をひるがえすのかもしれませんがね。その微妙な魚信を、浮子の動きで読むのですよ」

「――」

「だから、ポイントはミチイトです。友釣りにしても、いきなり鮎が鉤にかかるのではなくて、先に糸に触れてから鉤がかかりするケースの方が多いんです。ですから、鮎がミチイトに触れた、その魚信に合わせるんです。瞬間合わせですよ。すると、下の方の鉤が、反転して逃げる寸前の鮎の身体にひっかかるというわけです」

「ははあ」

「しかし、そういう理屈がわかったって、誰にでもできるってわけじゃありません。わたしは、この釣りばかりにかけて、魚信がわかるまでに二年、合わせがうまくゆくのにもう二年――鮎がまずまず、ちんちん釣りの感覚で釣れるようになるまで四年かかりましたよ」

「そうですか」

「それで、この下の方の鉤なんですがね、これは陰鉤《かげばり》と呼んでるんですが、これも、ただの鉤ではないんです」

「え」

菊村は、テーブルの上に置かれた、その、黒い鉤を眺めた。

一番小型のヤマメ鉤くらいの大きさであろうか。しかし、それを眺めても、どこがどう、普通と違うのか、それが菊村にはわからなかった。

「最後まで、源三さんは、この鉤の秘密を教えてくれませんでした。魚信があって、合わせをうまくやっても、初めは、なかなか鮎がかかってこないのですよ。何回か合わせて、それでやっと一尾かかるかどうかというくらいですから――」

「いいえ、それでも凄いことですよ」

「わたしは、結局、その秘密を源三さんから盗んだんですよ」

「どんな秘密だったんですか？」

「その鉤を見て下さい」

浅川が言った。

「鉤を？」

言われて、菊村は、もう一度、その陰鉤を眺めた。

しかし、何度眺めてもわからない。

「その鉤、一部が、少し、テーブルから浮いていませんか」

浅川が言った。

「え、ええ」

菊村はうなずいた。

確かに、その鉤は、一部がテーブルの面から浮いている。本来であれば、テーブルの面と、鉤とは水平になって、鉤の片側は全部テーブル面に接着していなければならない。それが、鉤先が、テーブル面から少し浮きあがっているのである。

「それはね、鉤先を、わざと、ペンチでひねってあるんですよ。だから、少し、そのひねった分だけ、テーブルから浮いているんです」

浅川が言う。

「何のために？」

「鉤を、水中で、回転させるためですよ。このひねりを造っておくと、合わせて引いた時に、この陰鉤は、上に引かれながら水中で回転するんです。その方が、倍くらい、かかりがよくなるんですよ」

ひと息に、浅川は、言い終えた。

沈黙があり、その沈黙を、川の瀬音が、静かに埋めていった。

「いいんですか」

低く、菊村は言った。

「そんなことまで、教えてもらって——」

「かまいませんよ。それに、わかったからって、すぐにできる釣り方じゃありませんから——」

「そうですね」

答えて、菊村はふと、あの黒淵平蔵のことを思った。

あの男は、今、どうしているのだろうか。

この浅川も、梶尾も、昔、鮎に狂った時期があり、今もまだ、鮎から離れられずにいるのだろうが、どこか、生臭いものが、ふたりの身体からは抜け落ちていた。

枯れた——と、そういう表現があたるのかどうかはわからないが、梶尾にも、浅川にもそういう雰囲気がある。

あの、黒淵平蔵には、そういう雰囲気はない。

まだ、その肉体のどこかに、鬼を棲まわせているような男だった。

しかし、どちらにしろ、こうして三人ともに、まだ鮎からは離れられないでいる。

自分はどうなのか——

ふと、菊村は思った。

自分もまた、このまま鮎にのめり込んで、この男たちのようになってゆくのだろうか。

わからなかった。

菊村は、ふと、この男たちは、黒淵が妻の陰毛で造った、黒水仙という毛鉤のことを知っているのだろうかと思った。

おそらく、知らないに違いない。

その鉤で、黒淵が釣ろうとしている鮎の大きさのことも知るまい。

それを言ったら、このふたりはどんな顔をするだろう。

そのことをここでしゃべってみたいという衝動に、菊村は耐えた。

生け簀の中で、ばさりと、大きな音をたてて巨鮎が跳ねた。

黒淵が釣ろうとしているのは、四十四センチのその鮎よりも、さらに大きな鮎であった。そして、その巨鮎を、菊村もまた見たことがあるのである。

「風が、強くなったな」

梶尾が、低く言った。

まるで、その言葉が合図であったかのように、たっぷりと湿り気を含んだ強い風が、闇の中から、その部屋に吹き込んできた。

——やはり雨になるな。

菊村は、遠い闇の虚空《こくう》で、黒々と渦を巻きはじめている、巨大な雲のことを思った。

黒《こく》　龍《りゅう》

1

誘惑に負けて、つい、竿を出してしまったのだった。

最初は二十分――せいぜいが三十分のつもりであったのが、いつの間にか、一時間になろうとしている。

菊村敬介は、腕時計に眼をやった。

夕刻の六時をまわっている。

箱根湯本のホテルに、仕事でフィルムを納品しての帰りであった。

湯本から帰って来る車の中で、黒淵平蔵のことを考えていたのだ。帰りの車の中で、ふいに、黒淵のことを思い出したわけではなかった。昨日から、ずっと、黒淵のことが頭から離れないのである。

昨日——正確には、夕刻のことだ。

釣りに出た帰りに〝鮎源〟に顔を出し、そこで、黒淵の名前が出たのであった。

〝鮎源〟の主人の梶尾が紹介してくれた、浅川という老人が、黒淵と知り合いだというのである。

陰鉤《かげばり》という奇妙な鉤で、鮎をスレで釣る老人であった。

〝鮎源〟の梶尾とその浅川は、昔、黒淵とは釣り仲間であったという。

黒淵のことを思い出したのは、昨日、そんなことがあったからかもしれない。

鮎の解禁日である六月一日に顔を合わせてから、これまで黒淵の顔を見ていないことも、気になっていた。六月一日のその晩、川原で黒淵は血を吐いた。

菊村はそれを見ている。

夜眼にも、生なましい血の赤が、川原の石の上に滴《したた》った。

内臓——それも消化器系のどこかを病に冒《おか》されているらしい。

「うるせえ」

医者に診てもらった方がいいと言った菊村に、黒淵はそう言った。

その晩に、黒淵とは、川原で別れたままになっている。

それで、この山根の淵に、足を向けてみる気になったのだ。

黒淵の話では、黒淵のねらっている巨鮎が、毎年、長期間居座るのがこの山根の淵だということであったからだ。もしかしたら、この場所で、黒淵の姿を見ることができるかもしれないと考えたのである。

今年、鮎が解禁になってから、菊村が竿を出していたのは、この山根の淵より上流である。

いつも竿を出していた風祭《かざまつり》のあたりは、川底をブルドーザーでほじくられて、ここひとつ竿を出す気になれないまま、昨日、ようやく竿を出したばかりである。

山根の淵は、ブルドーザーにこそほじくられてはいなかったが、基本的には友釣りのポイントである。

毛鉤でやるちんちん釣りには、山根の淵よりも、さらに上流部にちょうどいい好ポイントがあるのである。

だから、このシーズンでは、山根の淵に入るのは初めてであった。

途中に車を止め、歩いて土手を登り、夏草を搔き分けて山根の淵に出たのだが、しかし、そこに、黒淵の姿はなかった。

四人の、友釣りの人間が、広いゆったりとした淵のあちこちで、竿を出しているだけであった。

それをぼんやり眺めているうちに、つい、竿と仕掛けに手が伸びてしまったのである。

どうせ川原に降りるならと、車から出る時に、竿と仕掛けを手にしてきたのだ。自分の性格はわかっている。竿を手にして川原へ降りたら、まず、竿を出さずにはいられないだろう。それは、きっと、竿を持たずに川原へ降りても同じだと思っている。自分は、きっと、車まで竿と仕掛けを取りにもどるに決まっている。

そうなれば、車にもどって、再び川原に立つまで、十五分はかかる。

竿を持って降りれば、釣りたくなった時に、その十五分を釣りの時間にあてることができる。その十五分で釣りをやめれば、結局、竿を取りに車へもどって、再び川原に立ったあげくに、やはり釣りをやらずにすませたのと、結局同じである。

だから、十五分だけなら、釣りをしてもよかろうと、考えたのだ。

十五分だけだぞと、自分に言いきかせて竿を出したのだ。

その子供のような思考回路が白分にあるというのが菊村にはおかしかった。

大人の考え方ではない。

しかし、十五分では、終わらなかった。

三十分でも終わらなかった。

いつの間にか、一時間以上の時間が経ってしまったのだった。

最初は、釣れなかった。

十五分でやめようと思っていたちょうどその時に、鮎が一尾釣れたのだ。二十センチ近い鮎だ。それがいけなかった。それで、もう一尾、もう一尾と、ついつい竿を振ってしまったのである。

竿を出したのは、五時をやや過ぎた頃である。

分厚い雲の上で陽が傾き、暗くなるにしたがって、魚信《あたり》が多くなった。

すでに、五尾の鮎があがっている。
六時をまわった今頃からが、鮎がさらに釣れ出すのである。
あとひと振り、あとひと振りとやっているうちに、時間が過ぎてゆく。
自分が、むきになって竿を出しているような気さえした。
箱根から吹き下ろしてくる風が、水気を孕《はら》んで、ひんやりとしている。
いつ、雨になってもおかしくない天気であった。
本来であれば、昨夜のうちに降り出していてもおかしくないのだ。
対岸の山肌の樹々が、ざわざわと風に音をたてている。
水面には、絶え間なく細かい波が立っている。
台風が近づいているのだ。
「菊村ちゃん、こいつは来るぜ」
楽しそうにそう言った小島の声が耳に蘇《よみがえ》った。
昨夜の〝酔処《よっとこ》〟のカウンターでのことだ。
久しぶりに、〝鮎源〟からの帰りに顔を出した〝酔処〟で、小島に会ったのだ。
その小島が、ビールを口に運びながら、菊村に言ったのである。
〝来る〟
というのは、台風のことである。
台風のことであると同時に、鮎のことでもある。

台風——大水が出た後には、鮎の大釣りができるのである。

台風で、大量の雨が箱根に降ると、早川の水嵩《みずかさ》が急に増す。土砂や、石や、砂を巻き込んだ濁流が、川を走り、川底の石を転がすのである。

その大量の水が、わずかひと晩で川をみごとにきれいにしてしまうのである。

川底や、途中の石に引っかかっていたゴミや、空き缶や、そういったものの何もかもを、水が、ひと息に海に押し出してしまうのである。

海に押し出されるのは、そういうゴミばかりではない。

鮎もそうだ。

どんな鮎であっても、台風の時に、その流れの中にはいられるものではない。大水が出ると、魚は、基本的に流れのない場所に集まることになる。岸から突き出た大岩の陰や、流れのゆるやかなよどみ、水中から生えた草や木の間、支流の中——ふだんは鮎などいそうにない所にまで、鮎が溜まってしまうのである。

そういう場所を見つければ、鮎の大釣りができるのだ。

鮎は、そこにかたまっているわけではない。腹をすかせている。川底の石さえも転がしてしまう流れの中では、とても餌の水苔を食べるどころではなく、餌の水苔そのものが、失くなってしまうのだ。石が、動くからである。

上流から流されてきた石や砂が、鑢《やすり》のように、岩や石に付いた水苔をこそいでしまうのである。

だから、ふだんは、毛鉤などにはかかるはずのない大きな鮎までもが、毛鉤を追うことになる。

そういう大水が出てから、ほんのわずかに水が澄みはじめた頃が、釣りには最高の時期であった。他人よりも先に、そういうポイントに入り込めれば、一束《いっそく》（百尾）も夢ではない。

しかも、水がゆるやかになった後も、石に水苔が付くまでの四日から五日の間は、大きな鮎が、かかるのである。

海に押し出された鮎が、再びもとのポイントまでもどってくるのも、その頃である。そういう鮎は、特に腹をすかせているから、たちまち毛鉤に飛びついてくるのである。菊村が知っているだけでも、そういう馬鹿釣りのできるポイントは、早川に九つくらいはある。

これまでの間に、菊村も、何度か、そういう体験を味わっている。

友釣り師が竿を出すことになるのは、再び石に水苔が付き始める頃からである。その場合も、鮎はよく囮《おとり》を追って、ほとんど入れ掛かりのような状態になる時だってあるのである。

しかし、そういう大量の雨は、ここしばらく、二年ほど降ってはいない。

せいぜいが、勢いのいい濁流を造る程度であった。

川がその流れを変えるほどの大水が出なければ、石に付いた水苔は、そうは失くなるものではない。

しかし、今、近づきつつある台風は、それだけの規模を持ったものであった。

〝こいつは来るぜ〟

と、小島が言うのは、そういう意味あいからである。

「そうだね」

菊村は答えた。

「ああ、がんがん雨が降ってね、いっそのこと洪水になっちまえばいいんだけどね」

言ってから、小島は、空になったコップに手酌でビールを注ぎ入れた。

それを口に運んでから、

「なあ、菊村ちゃん、子供の頃はさ、でかい台風がくると、どきどきしたもんだよな」

「うん、したね」

「もっと風が吹かないか、もっと雨が降らないかってさ。あの頃、おれの家はトタン屋根でね、それが夜半に風で軋《きし》むんだよ。怖いんだけどね、それがまた、たまらなく楽しいような不思議な気持ちってあったじゃないか――」

小島は、コップをまだ手に持ったまま、菊村を見た。

「それと、おんなじだな。鮎を始めてからさ、あの時の気分がもどってきたみたいなんだな。こんなこと言うと、怒るやつがいるかもしれないんだけどさ。おれ、でかい台風が来ると、なんか、どきどきしてくるんだよ――」

〝酔処〟の入口の戸が、風で音をたてているのを聴きながら、菊村は、小島の言葉に耳を傾けていたのだった。

小島は、そのまま大きくなった子供のような眼つきになって、コップのビールをまた口に運んだ。

「小島さん、今年はまだあの時一度一緒に出かけただけなんでしょう？」

菊村はそう言って、右手の人差し指を立てて、それを軽く上へ持ちあげてみせた。

「うん、わざわざ行くのをやめようってわけじゃないんだけどね、行ったのはあの時一度きりなんだ。つい、忙しくってねえ」

しみじみと小島は言った。

「それがさ、菊村ちゃん。今、台風でどきどきしてるなんて言ったばかりなんだけどさ、これまでみたいに、何がなんでもって、半分、仕事をおっぽり出して鮎に行くっていう感じがね、不思議なことに、おれ、なくなっちまったみたいなんだよ」

「へえ——」

「うちのやつに、子供《ガキ》ができてさ、籍を入れたろう？」

「ええ」

「そんなことも関係してるのかもしれないけどね。これまでだったら、今までに、五度は行ってるはずが、まだ、一回さ——」

「そういえば、赤ちゃん、いつが予定日でしたっけ——」

「十月だよ。十月。おれは女より男がいいんだけど、うちのやつは、女がいいって言いやがるのさ。女が生まれて、鮎子なんて名前つけたら、うちのやつ、どんな顔をするかな」

つぶやいて、小島は、眼を細めてビールを飲み干した。

それが、昨夜である。

どこがどうと、うまく言えないのだが、小島と鮎との間に、ほどのよい距離ができたようであった。

ぽつん、と、大粒の雨滴が、竿を握った菊村の右腕を叩いた。

箱根外輪山の上空を覆った分厚い雲のどこからか、風で運ばれてきた雨滴らしい。

見回せば、友釣りをやっていた人間が、いつの間にかふたりに減っていた。

そのふたりも、そろそろ竿をたたもうかという気配である。

菊村が釣りあげた鮎は、九尾になっていた。

午後の六時半になろうとしていた。

さすがに、昨日の今日では、暗くなるまで竿を出しているわけにもいかない。

さらに、もう一尾を釣り上げたところで、菊村も竿をたたむ決心をした。

すでに、残っていた友釣りのふたりも、水からあがって、竿をたたんでいる。

菊村が、竿をたたみ終えた時には、そのふたりもいなくなっていた。

帰り仕度がすんで、菊村は、足元の岸から水中に沈めてある魚籠《びく》に視線をやった。

釣りあげた鮎をどうするか——

それを決めねばならない。

この鮎を持って帰れば、鮎を釣っていたことが、店の者や家の者にわかる。鮎のシーズンが始まれば、菊村がどうなるかは、皆承知しているが、やはり、この鮎を見られるのは好ましいことではなかった。

迷ったのは、数瞬であった。

菊村は、魚籠を水中からひきあげ、逆さにして、鮎を水に放った。

型《かた》のいい鮎が、それぞれに、銀色の腹を一瞬ずつ見せて、たちまち水中に姿を消してゆく。

「もったいねえな、いい鮎じゃねえか——」

その時、背後から声がかかった。

菊村が振り返ると、そこに、ビーチ草履《ぞうり》を足につっかけたあの黒淵平蔵が立って、奇妙な笑みをその口元に浮かべ、菊村を見ていた。

2

黒淵の頬がこけていた。

奇妙な笑みをへばりつかせている口元から覗く歯が、やけに目立って、黄色く見える。

曇り日の夕刻のためばかりでなく、皮膚の色が、青い灰色に見える。

髯《ひげ》を何日も剃ってはいないらしく、白髪の混じった不精髯が、濃く浮き出している。窪んだ眼窩《がんか》の奥で、その眼が尖《とが》っている。濁っているくせに、その眼は、炯《けい》とした光を放っていた。

「黒淵さん――」

菊村は言った。

「久しぶりだな」

黒淵は、無愛想な声で、低く言った。

石を踏んで、菊村の横の川岸に立った。

黒淵の身体は、ひとまわり近くも縮んで見えた。

「ふうん」

黒淵は、波の浮いた川面を眺め、暗さを増してゆく天を仰いだ。

その黒淵の顔に、対岸の森の梢《こずえ》を揺らしてきた風が吹いている。

黒淵は、左手に、菊村がいつか見たことのある、箱眼鏡を抱えていた。

箱の底がガラス張りになっていて、上から水中を覗くためのものだ。

「しばらく見なかったな――」

黒淵は、菊村に向きなおって言った。

「釣りには来てたんですが、いつも、この上で竿を出してたんです」

黒淵は、何とも答えずに、シャツを脱ぎ始めた。

あばらの浮いた胸があらわになった。

そのまま、黒淵は、ズボンを脱いでゆく。

「黒淵さん――」

どうする気なのかと菊村が問うよりも早く、ビーチ草履を履いたまま、黒淵は水の中に足を踏み入れていた。

膝まで水の中に入り、そこで、両手で全身に水をかける。岸に置いてあった箱眼鏡に手を伸ばし、それを手にすると、どんどんと深場へと入って行った。

たちまち、胸のあたりまで水がきた。

川の真ん中より、やや先まで行って、黒淵は、その箱眼鏡で水中を覗き込んだ。

そのままの格好で、舐《な》めるように、川底を覗きながら、黒淵は移動してゆく。

やがて、低い呻《うめ》きのような声が、黒淵の唇から洩れた。

黒淵は、対岸近くの水面に顔を出している岩の上に箱眼鏡を置くと、最初に水中を覗き込んだあたりまでもどった。

そこで、ふいに、黒淵の姿が水中に沈んだ。

泳いでいるのではない。

そこの水中で、黒淵が何かをしているらしい。

かろうじて、顔が、呼吸できる程度には水面に出ている。その顔も、どうかすると、水面下に没することになった。

異様な光景であった。

声もなくその光景を眺めているうちに、菊村には、ようやく、黒淵がそこで何をしているか見当がついた。

黒淵は、その水中に沈んでいる大きな岩に抱きついて、愛《いとお》しそうに、その岩に身を擦《す》り寄せ、全身でその岩を撫でまわしているのである。

箱眼鏡を抱えて黒淵がもどってきた。

岸に立つと、箱眼鏡をそこに置き、脱ぎ捨ててあったシャツで、黒淵は無造作に自分の痩せた身体をふいた。

そのまま、そのシャツを着て、ズボンをはいた。

「何をしてたんですか？」

菊村は訊いた。

黒淵は答えない。

「何をしてたんですか？」

菊村は、もう一度訊いた。

菊村を、尖った視線で見つめてから、

「石を抱いてたんだよ」

ぼそりと黒淵が言った。

「石を抱く？」

「ああ」

「何なのですか、それは？」

「昔は、こうやって石を抱きに来る人間もいたんだが、最近はそんなやつはいやしねえから、あんたが知らねえのも、無理はないさ」

「――」

「昔は、いい天気ばかりが続くと、こうやって、自分の釣り場を造る人間がいたんだよ」

言われても、菊村には、何のことかわからない。

黒淵が、どうやら、あの巨鮎を捜していることはわかるが、それがどういう意味を持ったものかということがわからないのである。

「あんまり、いい天気ばかりが続くとね、水苔が成長しすぎて、それに泥やら何やらが付いて、水苔が腐るんだよ。だから、こうやって、時々水中の岩を抱いたり撫でたりしてやって、水苔をわざと落としてやるんだ。しかし、落としすぎちゃいけない。爪だとか、木だとか、そういう堅いものを使わずに、人の手、人の素肌で直接落としてやるのがいいんだよ。そうすれば、鮎にとっては喰べ頃の、いい苔が常にそこに付くことになる――」

言っている黒淵の声が、少し高くなっていた。

「黒光りのする、苔の付いたいい岩がそこにできるんだ。いいかい、そういう最高の岩には、最高の鮎がつくことになるのさ――」

「それは、あの、巨鮎のことですか」

「そうだよ。他に、どんな理由があって、おれがこんな真似をすると思うんだ？」

黒淵は言った。

黒淵が〝つく〟と言ったのは、鮎が縄張りを持つという意味である。

鮎には、縄張りがある。

鮎が喰べるものは、水中の石に付いた水苔である。

水中の虫や、水に落ちた昆虫も鮎は喰べる。稚魚として海にいる時には、プランクトンなど、動物質のものまで口にするが、川に遡上《そじょう》してからの鮎の主な食べものは、水苔である。

その水苔の付いた岩を中心に、鮎は縄張りを持つのである。その縄張りの中に、他の鮎が入ってくると、縄張りを持っている鮎は、侵入してきた鮎を攻撃する。鮎の攻撃は、身体で相手にぶつかることである。

侵入してきた鮎の方が強ければ、その縄張りは、その侵入者である鮎のものになってしまう。

この鮎の習性を利用したのが、友釣りである。

囮の鮎に、錨《いかり》状の鉤を付けて、縄張りを持った鮎のいそうな石のそばに送り込んでやると、そこに縄張りを持った鮎がいれば、その囮鮎に攻撃をしかけてくる。そして、縄張りを持った鮎は、囮鮎に付けられた鈎にその身を引っかけて、釣りあげられることになってしまうのだ。

「前にも言ったろう。やつは、毎年、この山根の淵までやってくるんだ。この山根の淵全体が、やつの縄張りみたいなものさ。上の落ち込みのどこかの、一番深いあたりに棲みついていて、昼の間はあの岩の周囲を悠々と泳いでいるのさ。やつが、この山根の淵に入れば、必ずあの岩に喰《は》み跡《あと》が付く――」

「それで、喰み跡は？」

菊村は訊いた。

黒淵は、苦しそうに唇を歪め、

「なかったよ……」

菊村にというよりは、自分に向かって言い聞かせるように言った。

「しかし、必ず来るさ。それが、おれとやつとの約束なんだ。毎年、おれがああやって、あの岩を、やつのために一番いい状態にしてやってるんだからな――」

「――――」

「三年だよ……」

ぽつりと黒淵は言った。

重い声であった。

「三年かかって、おれは、やつをあの岩につかせたんだ。やつは、どの岩に、一番いい苔がついているかを知っている。だから、必ず来る。もし来ないんなら――」

そこまで言って、黒淵は言葉を切った。

「来ないんなら、死んだということですか？」

「うるせえ！」

黒淵が言った。

「これまでだって、山根の淵に入るのが遅れたことはあるんだ。しかし、遅れても、やつは必ず、あの岩まではやって来た――」

「しかし、もし、来たとしても、あのあたりは友釣りのポイントにもなっているんですよ。黒淵さんあんたよりも先に、友釣りの人間があの巨鮎を釣ってしまうこともあるんじゃないんですか？」

菊村の口調が、黒淵に引きずられて、大きく、高いものになっていた。

自分の言葉使いが変化したことにも、菊村は気づいていない。

低く、くくく、と黒淵が声をあげた。

「やつが、友釣りになんて、掛かるものか。掛かるものなら、とっくに釣られちまってるだろうよ。やつは、追わないんだよ。追う必要がないんだ。やつを見た他の鮎が逃げてゆくのさ。おれは、一日中、やつがあの岩のまわりを泳ぎながら、苔を喰むのを見ていたことが何度かあるけどね、やつは、一度も追わなかった。やつの本能だかなんだかが、他の鮎とできが違うのかどうか、そんなこたあ、おれは知らないよ。知らないが、やつが、友釣りなんてやり方で釣れやしないってことだけは、よくわかってるよ。あれだけ長く生きてるやつなんだ。ホルモンだかなんだかの加減で、本能まで、違う具合にできあがっちまってるってこたあ、あるんだろうけどね――」

「黒淵さんのやり方なら、いいっていうんですか？」

「そうだよ。おれの黒水仙《くろすいせん》さ。小夜子《さよこ》のあそこの毛で造った鉤だけが、やつを掛けることができるんだ。しかし、チャンスは、年にたったの一回だけだがね」

「一回？」

「ああ。一回だけさ。一回は喰いつくんだよ。一回はね。それも、やつと最初に出会った時の、第一投目だ。それを、上手にやつの鼻先へ流してやれば、やつは喰いついてくるんだ。その一投目を失敗するか、喰いつかれて引っかけたはいいが、落としたりすると、その年は、もう二度と喰いついては来ない」

「そんなことまでわかるんですか？」

「ああ、この三年の間に、ほとんどのことを試したよ。毛鉤だけじゃない。餌も試したさ。シラス、オキアミ、アジの切り身、イカ――ヤマメやイワナの餌まで使ったけどね、だめだったよ。しまいには、石からこそぎ落とした水苔を、ゼラチンで固めて、それを餌にしたことだってあるんだ。それでもだめだった――」

「――――」

「おれの黒水仙、それにだけは、釣り落としてからも反応は見せた」

「反応？」

「ああ。寄ってくるんだよ。寄ってはくるんだ。凄く近くまでね。しかし、寄ってくるだけで、二度目はもう喰いつこうとはしないけどね」

黒淵は言った。

言っているうちに、黒淵の顔色が、さっきよりも青くなっていることに、菊村は気がついた。

黒淵が、ふいに、顔をしかめて、横の石の上に尻を落とした。

「黒淵さん……」

菊村は言った。

「大丈夫だよ。ちょっとばかり疲れたから座っただけだ」

「顔色がよくない」

「生まれつきだよ」

「この前は、血を吐いていたじゃありませんか。あれから医者には行ったのですか」

「行ったよ」

わずらわしそうに、黒淵は答えた。

「本当にですか」

「行ったと言ってるだろうが」

「それで、医者は何と？」

「知らねえよ、そんなことは――」

黒淵は言った。

医者に行ったようには見えなかった。

「――」

菊村が何か言いかけようとするのを、黒淵が遮《さえぎ》った。

「医者に行ったからって、どうなるってんだ。病院に行って、そのまんま帰してもらえねえってこともある。二ヵ月でもし出れるにしたって、二ヵ月も病院に入れられた日にゃ、鮎のシーズンが終わっちまうんだ。今年が最後のチャンスかもしれねえんだ。これまで、鮎があったから生きてこれたんだよ。鮎でくたばるんなら、それはそれでかまやしねえんだ」

そこまで言ってから、ふいに、黒淵は口をつぐんだ。

「少し、しゃべり過ぎだ」

ぽつりと言って、立ちあがった。

しゃべり過ぎというのは、自分のことを言っているらしかった。

「あばよ」

短く言って、黒淵が背を向けた。

その背に向かって、菊村が声をかけた。

「黒淵さん。ひとつ、尋ねたいことがあるんですが――」

「何だい、言ってみな」

黒淵が言った。

「浅川善次という人を知ってますか？」

菊村が言うと、ふっと、黒淵の視線が遠くなり、すぐに、それがもとにもどった。

「善次なら知ってるよ。しかし、なんであんたが、善次を知ってるんだ」

「昨日、〝鮎源〟で会ったんです」

「〝鮎源〟で？」

「まだ、〝鮎源〟にいるはずですよ。三日くらいは、あそこで寝泊まりしながら、鮎を釣るんだって言ってましたから」

「それで？」

「善次さんが会いたがってましたよ」

「おれに？」

「もし、顔を見たら、浅川善次が〝鮎源〟にいるからと、伝えてくれって——」

「へえ」

つぶやいて、黒淵は歩き出した。

「黒淵さん」

菊村は声をかけた。

「なんだい。あんた、おれを引きずってでも連れて来いと、善次に頼まれたのかい」

振り返って、黒淵が言った。

「そうじゃありませんが、会いたがっていたようなので」

「気がむいたら行くさ」

黒淵が言った時、菊村の頬を、冷たい、大粒の雨滴が叩いた。

黒淵も、首のあたりをおさえて、暗い天を見あげていた。

黒淵の首のあたりにも、雨滴が落ちてきたらしかった。

見あげた暗い天を、雲が凄い疾《はや》さで動いてゆく。

風の中で、雲がもつれあうごうごうという音が、聴こえてきそうであった。

「雨が——」

黒淵はつぶやいた。

誰にともなく、黒淵は、低く言った。

「来るな……」

それが合図であったかのように、周囲の石の上に、雨滴の落ちる音が聴こえてきた。

「あばよ」

黒淵は言って、また菊村に背を向けた。

歩き出した。

もう、振り返らなかった。

3

酒を、飲んでいる。

独りである。

手酌であった。

すでに、木のカウンターに、空になった銚子が一本転がっている。

肴は、生のシラスだ。

細くて透明な鰯の稚魚である。

それを皿に盛って、擦《す》り下ろしたばかりのショウガと醬油で食べる。

小田原の海岸でやっている地曳網《じびきあみ》で、今朝捕れたものである。

〝酔処〟のカウンターであった。

客は、菊村が独りきりだ。

凄い雨と風の音が、店の中まで響いてくる。

昨日の夕刻に降り出した雨が、さらにその量を増して、まだやむ気配がないのである。

菊村のズボンは、膝近くまで濡れている。

一時間ほど前の、午後九時頃に〝酔処〟に入ったのだが、道は、どこも川のようになっていた。

風が高い空のどこかでうねる音が、〝酔処〟のカウンターまで届いてくる。

その雨と風の音に、半分消されそうになりながら、ひと昔前の流行歌が、店内には流れていた。

さびさびとした女の声が、別れた男への未練を歌っている。

菊村は、その歌と雨の音が耳に入り込んで来るのにまかせ、時折り、酒を口に運んでいた。

菊村が来た時にはふたりいた客が帰ってから、誰も店に入ってくるものはない。

〝酔処〟の路地を出た所にある道路に車を停め、この路地を歩いてきたのだが、そこもまた、川のようになっていた。

また、雨の音が、ひときわ高くなったようであった。

「凄いねえ、菊さん」

〝酔処〟の親父が言った。

「ええ」

「今日は車？」

「雨に濡れるのがいやで、車できたんだけど、結局、この路地を歩いていて、濡れてしまいました」

「お酒を飲んで、車の運転の方はだいじょうぶなのかい？」

「だいじょうぶですよ。このくらいならね。もっとも、見つかったら、警察《むこう》は許さないでしょうけど――」

「車は置いといて、タクシーで帰ることにしたら？　そうしたら、安心して飲めるんじゃないの——」

親父が言って、ふうん、と菊村は曖昧《あいまい》な声をあげただけであった。

また、沈黙があった。

その沈黙の中で、菊村は、昨日会った、黒淵のことを考えていた。

菊村の脳裏に浮かんでくる黒淵の顔は、痩せて、色も青白い紙のようであった。

耳を澄ます。

雨と風の音に交じって、遠くの、聴こえるはずのない早川の濁流の音までも届いてきそうであった。

その時、ふいに、〝酔処〟の戸が引き開けられた。

「凄い雨だねえ」

その声と共に、ずぶ濡れになった男が店に入って来ると、後ろ手に戸を閉めた。

中根が、そこに立っていた。

吹き込んで来た雨と、手にした傘から滴ってくる水とで、中根の足元に、小さな水溜りができていた。

「中根先生——」

菊村は言った。

「いやあ、傘を差してきたんだけど、これじゃあ、傘がないのとおんなじだな」

中根は、傘立てに傘を突っ込みながら、言った。

〝酔処〟の親父が差し出したタオルで、濡れた腕をぬぐいながら、菊村の横まで歩いてきた。

「菊さん、独り?」

菊村の隣りに腰を下ろした。

中根の顔には、濃く不精髯が浮いていた。

肌の色が白っぽく、髪もぼさぼさである。

その髪の中に、フケがちらちらと見えていた。しばらく風呂に入ってはいない様子であった。

ひどく疲れているようであったが、しかし、中根の表情には、妙に晴ればれとしたものがあった。

中根は、菊村の前に出ている酒と、生のシラスを見て、

「おれも同じものをもらおうかな」

親父に声をかけた。

親父が、猪口《ちょこ》をひとつ、中根の前のカウンターに置いた。それに、菊村が酒を注ぐ。

「久しぶりだね」

菊村が言った。

「へへ」

中根は、照れたように微笑して、猪口に溜まった酒を、しみじみとした眼つきで眺めた。

「一ヵ月半ぶりになるかな」

つぶやいた。

「何が？」

「酒がさ。六月一日に、ここで一緒に飲んだろう？　あれ以来だもんな」

「へえ」

「おれさ――」

中根は言った。

視線は、まだ酒に向けたままだ。

「ついに、やっつけちゃったんだ」

酒を見つめながら唇を尖らせ、その尖らせた唇で酒に触れてから、ひと息にその酒を飲み干した。

「何をやっつけちゃったの？」

「小説だよ」

つぶやいて、中根は、酒の無くなった猪口をまだ見つめている。

「小説？」

「終わったんだよ、ついさっきさ」

「へえ」

「何しろ、鮎もやらずに、小説ばっかり、この一ヵ月以上、やってたんだ。他のことなんて、なんにもしないでさ。ずっと、家に閉じこもりっきりでね」

ひとしきり、中根は手酌で酒を飲んだ。

「あれから、ずっと？」

「うん」

中根は、カウンターの上に、やっと、空の猪口を置いた。

「おれさ、あの時、単純に、あのでかい鮎に感動しちゃったんだよなあ。感動したそのはずみで、急に小説をやりたくなっちまったんだよ。本気でさ。自分に、あとで言いわけできないくらい夢中になってさ、もう、肩にどれだけ力が入っちゃったっていいって覚悟でさ――」

新しい銚子が出てきた。

その酒を、中根が、手酌で空の猪口に注ぐ。

「いろいろ仕事はあったんだけどさ、ここでまた、そういう仕事をかたづけてからなんて考えてると、またずるずるといっちゃいそうで、恐くてさ。それで、あちこちに頭を下げて、不義理をさせてもらってね、それが、さっき、書きあがったの――」

「へえ」

「書きあがったら、もう、頭が興奮しててね、眠れなくてさ。それで、ここで一杯やっていこうと思って――」

声は疲れてはいたが、満足そうな響きがこもっていた。

中根は、今度は、ゆっくりと、猪口の中の酒を飲み干した。

「それで、どのくらい書いたの？」

菊村は訊いた。

「四百二十枚――」

「四百二十枚っていうと――」

「本一冊分くらいかな」

「凄い量じゃないの」

中根は、照れたように微笑して、

「でもさ、一日にすれば、十枚ちょっとっていうところだからね」

「それにしても、一ヵ月と何日かで、本一冊分というのは凄いじゃないの？」

「資料とかは、ずい分前から、少しずつ集めてたし、話も、できあがってたからね。ほんとに書くだけだったんだ」

「へえ」

「でも、最初の半月くらいは、ほとんど書けなくてね。毎日毎日、同じところばかり書きなおしてた」

「それで――」

「ほとんどは、最後の二十日間くらいでやったってとこかな」

中根は、また、手酌で酒を飲んだ。

「終わっちゃったら、なんか、頭がぼうっとなっちゃってさ——」

「それで、その原稿、どうするの？」

「どうしようかなあ」

中根は、他人事のようにつぶやいた。

「決めてないんだよ。とにかく、書きあげてから考えようと思ってたんだ」

満足気な声で、中根は言った。

雨と風は、弱まる気配がなかった。

雨滴が、強く、入口の戸を叩いていた。

「ところで、菊さんの方はどうなの？」

中根が訊いた。

「どうって？」

「これさ」

中根は、右手で竿を握るかたちを造って、ひょいと魚信《あたり》に合わせる動作をしてみせた。

「だいぶ通いすぎちゃってね。三日に一度くらいのわりあいで行ってる感じかな」

「店の方はいいのかい」

「よくはないんだけど、半分、あきらめてるみたいだね」

「ふうん……」

それでまた、しばらく、中根と菊村は、外の風雨の音に耳を傾けた。

「ほら、六月一日の日にさ、大きな鮎を見たろう？」

ふいに、菊村が言った。

「うん」

「あれより、大きな鮎がいるって言ったら、信じるかい」

言った菊村の顔を、中根が見つめ、

「信じないと言いたいところだけどね、あれだけ大きい鮎を、とにかくこの眼で見たわけだから、あれより大きい鮎がいたって、不思議じゃないだろうな」

「いると思うかい？」

「思うかって、たとえば、それはどのくらいの鮎なの？」

「五十センチは越えているやつ。もしかしたら、六十センチはあるかもしれないんだけどね――」

「六十センチ？」

「ああ」

「ちょっと待ってくれよ、それはいくらなんでもいないんじゃないのかい」

「鮎ってのは、一年で死んでしまうだろう。だから、それが死なないで、四年、五年と生きていたとしたら、たとえばそのくらいにはなるんじゃないの」

「おいおい。菊さん、まるで、その大きさの鮎を見たことがあるような口振りじゃないか——」

「たとえばの話さ」

ある——とあやうく答えそうになって、菊村はそれをこらえた。

「ないんじゃないのかな」

「でも、琵琶湖あたりじゃ、何年も生きている鮎がいるらしいし、琵琶湖の水産試験場の実験では、人工的に、鮎を何年も生かしておいたりすることをやってるんだっていう話だよ」

「へえ」

「調べたんだけどね。どうも、鮎が、卵を孕《はら》んで下り始めるのは、水温とか、日照時間に関係があるらしいんだよ。それで、琵琶湖の試験場では、水温を一定に保って、人工の照明をあてて、いつも日照時間を同じにしておくんだって——」

「それで——」

「そうすると、鮎のホルモンだか何かの分泌が止まったままになって、鮎がそのまんまどんどん大きくなっていくっていうんだよ」

「それで、どのくらいの大きさになるの?」

「四十センチくらいにはなるらしいんだけどね」

「それでも、四十センチだろう。せいぜい、この前の鮎くらいのやつじゃないか——」

「いや、でも、九州の方の試験場では、鮎の品種改良をやって、五十センチを越えるやつができたって――」

「ほんとかい、それ」

「調べたら、そういうことらしいんだよ」

「でも、早川の場合は、自然の川でだろう。自然の環境の中で、それほど大きな鮎が育つとは思えないな」

「でも、場合によっては、鮎は、五十センチを越える大きさまで育つことがあるってことは、事実なんだ」

「まあ、なんとも言えないけどね、ひとつだけ言えることはあるよ」

「なに？」

「それはさ、川よりも大きい鮎はいないってことさ――」

言って、中根は笑った。

つられて、菊村も微笑した。

ひとしきり、ふたりで、酒を飲んだ。

その間中、菊村の頭の中を占めていたのは、雨と風の音と、濁流となって闇の中で逆《さか》巻《ま》いている早川の映像であった。

黒淵が、昨日抱いていた岩、めったに動くことのない、山根の淵の岩まで、もしかしたら、箱根から流れ下ってきた濁流は動かしているかもしれなかった。

4

まだ、酔いは醒めてはいなかった。

熱っぽい眼で、菊村は、フロントグラスに叩きつけてくる雨滴を見つめていた。

ワイパーは、最高速で動いているが、視界は最悪だった。ほとんど、フロントグラスに潰《つぶ》れる雨滴しか見えない。

正面からぶつかってくる雨と闇を貫いて、ヘッドライトの光芒が、太い槍のように前方に伸びている。

〝酔処〟からの帰りだった。

車が向かっているのは、自宅の方角ではない。

車は、風祭に向かっている。

どうしても、早川を見たくなったのである。

時折り、前方から車が走ってくるが、見えるのは、そのヘッドライトの灯りだけだ。

その灯りと、何度かすれ違った。

国道一号線から、左手に折れた。

そこは、もう、川のようになっていた。

水を跳ね飛ばしながら、土手の下に出、そこに車を停めた。

いつも、車に置いてある、釣り用のレインウエアの上下を取り出して、運転席でそれを身につけた。

外に出た。

たちまち、全身に、雨と風が叩きつけてきた。

フードが、風に飛ばされそうになる。

足の、くるぶしまで水が流れていた。

その時、菊村は耳にしていた。フードにぶつかる雨の音にも消されることなく、はっきりと届いてくる音があった。

低い轟《とどろ》き。

それは、眼の前の土手の向こうから聴こえていた。

「くそっ」

意味もなく、菊村は声をあげていた。

すでに、靴の中にまで、水が入っている。

右手に、ハンドライトを握っていた。

電池が六本入っている強力な、防水のハンドライトだ。

濡れた草の土手を登った。

登る途中で、フードが風で跳ねのけられ、雨滴が、直接、菊村の顔面を叩いた。

そのまま登った。

土手の上に立った。

低い、地鳴りに似た音が、響いていた。

菊村は、声を喉に詰まらせた。

少し上流で、西湘《せいしょう》バイパスが早川を渡っている。その道路わきの灯りが、下の早川にまで、かろうじて届いていた。

そこで、川が猛《たけ》っていた。

川原が、見えなかった。

いつもなら、いったん土手に登り、その土手を下った所に、草の繁る川原があり、そこを歩いて、川までゆくことになるのだが、その川原が見えないのだ。

土手の、すぐ下方まで、水が来ていた。

それが、うねっている。

闇のどこからか流れてきて、闇のどこかへと流れ去ってゆく。

見えているのは、ほんの一部であった。

雨の中で、菊村は、ハンドライトの灯りを向けた。

黒い濁流が見えた。

凄まじい勢いで、水が盛りあがり、跳ねている。

太い、黒い龍の群が、闇の中を狂ったように下っているようであった。

これほどに、早川が猛っているのを、菊村は初めて見た。

低い地鳴りに似た音が、聴こえている。

それは、直接、足元から響いてくるようであった。

水の中で、大量の岩が、石が、動いているのである。それが、地鳴りのような音となって届いてくるのだった。

石と石とが、濁流の中でぶつかりあう鈍い音が、絶え間ない。

ぎいん、と、時折り大きな音が、闇の中に響く。大きな岩が、さらに大きな岩に激しくぶつかって、水中ではじける音だ。

早川を抱えている、川床全体が、どろどろと音をたてて、今にも動き出してゆきそうであった。

圧倒的な、川の量感の前で、菊村はそこに突っ立ったまま動けなかった。

この流れの中では、黒淵が抱いていた岩など、ひとたまりもなくどこかへ流れ去ってしまっていることだろう。

この濁流の中で、魚たちはどうしているのだろう。

あの巨鮎も、今はどうなっているかわからない。

「来てたのか、あんた」

ふいに、菊村の右手で声がした。

そこに、黒淵平蔵が立って、凄い眼で川を睨《にら》んでいた。

黒淵は、薄い、ビニールの雨ガッパを着ていたが、それは、ほとんどカッパの役目をしていないようであった。

「黒淵さん」

菊村は言った。

しかし、黒淵は、唇を噛んで、川を睨み続けていた。

「けっ」

黒淵が唾を吐き捨てた。

しかし、その唾も、たちまち風に飛ばされて、どこへ落ちたかはわからない。

「ざまあみろ」

黒淵は言った。

「ざまあみやがれ!」

もう一度、大きな声で黒淵は言った。

「ブルドーザーで、ほじくり返しやがってよ。そんなものも、みんな、このざまだ。みんな流れちまえ。みんなぶっ壊れちまえ!」

黒淵は、声をあげて何か叫んだ。

菊村には、黒淵が、笑っているように聴こえた。

「人間さまが、何をやろうったって、川がちょいとその気になりゃあ、このざまだ――」

と、黒淵は呻き、
糞。

「畜生！」

叫んだ。

黒淵が抱いていた岩も、今頃は海まで押し出されているのかもしれない。

黒い水は、何もかもを、海へ押し流そうとしているようであった。

「ざまあみやがれ！」

黒淵は叫んだ。

誰に向かって言っているのか、菊村にはわからない。

自分に向かって言っているようでもあった。

黒淵が、声をあげて、咆《ほ》えていた。

菊村には、それが、哭《な》き声のようにも、笑い声のようにも聴こえた。

赤《あか》お染《そめ》

1

風が吹いている。

風が吹いている。

早川の対岸の山肌で、樹々が、絶え間なく青葉の梢《こずえ》を揺らしている。

夏の風だ。

その風が、いくつも、石垣山の斜面に動いているのが見える。無数の風が、それぞれの方向から、あるいは横に、あるいは斜めに動きながら、山の斜面を登ってゆく。

風が通る度に、梢が揺れ、午後の陽光の中に次々と白い葉裏をかえしてゆく。

ある風は、途中でどこかへ消え、また、ある風は、消えずに山の斜面を駆け上がり、そのまま蒼《あお》い天へと疾《はし》り抜ける。

それを眺めていると、風にも、いくつかの通り道が決まっているらしい。ある場所で始まった風が、斜面を登ってゆく時に、必ず揺すりあげてゆく枝がある。

菊村敬介は、不思議な思いで、その風を眺めていた。

川面の上にも、その風は吹き、岸に生えた芒《すすき》や草の繁みを揺らしている。

関東地方一帯に、大量の雨を落としていったあの台風が去ってから、すでに一ヵ月が過ぎていた。

濁流が去った後、早川は、その流れを一変させていた。

同じ瀬が連続していた風祭《かざまつり》あたりの流れのあちこちに、いくつかの小さな淵ができていた。

ブルドーザーでえぐられ、二本の平行線のようになっていた川岸が、自由な曲線を描いている。川幅が広がり、こんな所にと思える川岸や水面のあちこちに、大きな岩が顔を出していた。瀬や、岸辺のそういう岩の下流部には、流れてきた水が、ゆるい蟠《とぐろ》を巻いていた。

濁流が去ってから、菊村は、この場所に何度か足を運んでいた。

最初に来た時には、石が露出して、一面に白くなっていた川原のあちこちに、草が繁っていた。

今、菊村が立っている場所も、そういう草に囲まれた場所だ。菊村の周囲に、点々と月見草が伸びて、黄色い花をつけていた。

大きな岩の陰で、砂に埋もれ、水に倒されていた草が、水が去った後、たちまち起きあがって、いつの間にか、いつもの夏と変わらない川原の風景が、そこにできあがろうとしていた。

石だらけであった川原の石の間に、濁流が、上流から砂や土を運んできたのである。いったん、海に押し出された鮎も、再び川にもどってきていた。

台風が去ってから、菊村は、久しぶりに、中根や小島と一緒に竿を出した。

出水で、鮎がいくつかのポイントに集中し、三人とも、午前中の三時間ほどで、五十尾を越える釣果《ちょうか》をあげた。

毛鉤《けばり》を使ったちんちん釣りだ。

「これを機会に、友釣りを始めるかな」

小説を書きあげたばかりの、中根が言った。

「ほんとかい、先生？」

小島が訊いた。

「前から誘ってくれる人がいてさ。それが、凄くおもしろいって言うもんでね」

その晩に集まった〝酔処《よっとこ》〟のカウンターだった。

三人でビールを飲んでいた。

「ちょうどいいから、おれたち三人で、友釣りを始めてみようか――」

それほど冗談でもない口調で、中根は言いそえた。

「でも、菊さんは、口じゃない場所に鉤を引っかけて釣るというの、好きじゃないんだろう？」

言ったのは小島だった。

「うん、まあ……」

菊村は曖昧《あいまい》な声で答えた。

浮子《うき》に魚信《あたり》を確認してから合わせる——それが、菊村が昔からやっていた釣りであった。それ以外の釣りは、やったことがない。

いや、ほんの数度だけ友釣りはやったことがある。

しかし、ちんちん釣りを始めてから、友釣りに手を出してはいない。

友釣りの合わせは、ちんちん釣りの浮子の合わせとは違う。基本的には、向こう合わせである。

口でない場所に鉤を掛ける。

浮子を使わない。

菊村が、これまで、再び友釣りに手を出しかねていた理由というのは、主にそのふたつである。

鮎に入れあげて、八年も川に竿を出していながら、ほとんど友釣りをやったことのない菊村のことを、友釣りをやる人間は、不思議そうな眼で見る。

そして、彼等が例外なく言うことは、

〝友釣りはおもしろいぞ〟

であった。

中根の顔を見ているうちに、菊村は、ふとその気になっていた。

「ふうん」

「やってもいいな」

答えて、ビールを口に運んだ。

それから、もう一ヵ月近くが過ぎていた。

話をするうちに、いつの間にか、話題は小島のことや、中根の小説のことにうつり、友釣りのことについては、具体的にはどういう結論も出さないまま、ふたりとは別れた。

〝友釣りか……〟

竿を手にしながら、菊村は、声に出さずに口の中でつぶやいた。

早川の川面に眼をやった。

水の上に、陽光が反射して、その光が眩《まぶ》しく動いている。

何人かの釣り人が、竿を出しているのが見える。

友釣りの竿だ。

昼は、すでに毛鉤釣りの時間帯ではない。

それに、八月に入ると、毛鉤にくる鮎の数が極端に少なくなる。

菊村のやっているちんちん釣りは、早朝か、夕刻の、限られた時間帯のみの釣りである。一ヵ月前の台風の後とかいうような、特別の状況でなければ、そうは日中に数があがる釣りではない。

餌釣りが解禁になっていれば、日中もそこそこには楽しめるのだが、餌釣りの解禁は九月である。

以前は、八月に餌釣りが解禁になっていたのだが、それが、何年か前に九月になってしまった。

その年の前年の八月に、やはり大きな集中豪雨《ごうう》があって、三日から四日間ほど、餌や毛鉤で、おもしろいように鮎が釣れたことがあった。友釣りの対象になるような大きな鮎までが、餌に喰いついてくるのである。

竿を出せば、ひとりが、一束《いっそく》ほども釣り上げることができたのだ。

友釣りができるほど、水中の石に、苔が育たないうちのことだ。

石に苔が付くようになれば、鮎は、石の苔を喰べるようになり、餌や毛鉤にそれほど関心を示さなくなる。

苔の付いた石の周囲に縄張りを持ち、再び友釣りの対象となってくるのである。

この時期の、縄張り鮎の追いは凄まじい。

囮鮎《おとりあゆ》の姿を見つけた途端に、突っ込んで来る。同じポイントで、何尾もの鮎が、しばらく入れ掛かりになったりするのだ。

しかし、その前に、毛鉤釣りや餌釣りの鉤によって、かなりの数の鮎が釣り上げられてしまうのである。

菊村も、その年、餌釣りで楽しい思いをした人間のひとりであった。

「たまらねえな、こんなに釣られたんじゃあよ——」

菊村の魚籠《びく》を覗き込んで、そう言った男がいた。

川へ、様子を見に来ている男たちのひとりであった。友釣りをやる男たちや、鮎に狂った男たちが、仕事の途中で、土手に車を停めては、川原まで足を運んでくるのである。

「友釣りの鮎がいなくなっちまうよ」

川を見ながら、腕を組んで、そんなことを言っている男もいた。

鮎の餌釣りの解禁が、八月から九月に変わったのは、その翌年からである。

餌釣りによって、鮎の数が減ってしまうのをおそれてのことであった。

それが、菊村には不満であった。

日本の川には、どの川にも漁業組合ができている。

その組合でやっている仕事は、主に川の管理と、魚の放流である。

川の管理といっても、特別なことをするわけではない。川にルールを造って、そのルールを管理するというほどの意味だ。

ようするに、魚を放流して、その魚を捕る人間から料金をもらうということをやっているのが、漁業組合である。

山女魚《やまめ》、岩魚《いわな》などの魚も、そういう管理されている魚であるが、一番川で管理されているのが、鮎である。

そのことはいいのだが、問題はルールだ。

漁業組合は、魚――鮎の釣り方まで、規制しているのである。

鮎という魚について定められた釣りのルールは、どれも、友釣りという釣りのために造られたものである。

ちんちん釣り。

餌釣り。

ドブ釣り。

コロガシ釣り。

友釣り。

鮎を釣るだけでも、色々な釣りがあるが、この中で、一番優遇されているのが、友釣りである。

友釣りは、どの河川でもできるが、コロガシ釣りや餌釣りは、どの河川でもできるというわけではなく、許されている場合でも、川のうちのごく一部の指定された場所だけというのが多い。

早川の場合は、コロガシ釣りは禁止で、餌釣りは、九月から十月十四日までの、わずかに一ヵ月半だけしかやることはできない。

本来は、平等な楽しみであるはずの釣りが、様々な制約を受けている。

早川は、短い川だ。

特に、鮎釣りの対象となる距離は、短い。

すぐに、川の相が渓流になってしまうから、鮎が上流まで遡《さかのぼ》ることができないのだ。というよりも、渓流になる手前で、湯本の堰堤《えんてい》によって鮎が遡上《そじょう》を阻まれてしまうのである。

そういう川ではあるが、もともと、早川は天然遡上の鮎が多く、釣り方を規制しなかったら鮎の量が極端に減ってしまうとか、友釣りにさしつかえるとかいうものではないと、菊村は思っている。

それよりも、鮎の産卵期に、その産卵場所である下流部の川床《かしょう》を、ブルドーザーでほじくり返すことの方が、鮎に関する限りは、問題は大きい。

しかし……

菊村は、あらためて、川原に眼をやった。

ブルドーザーが、川の流れを真っ直《まっすぐ》にしていった傷痕は、すでに癒《い》えつつあった。

初めて、この川に来た人間には、しばらく前まで、この川が、人工的に手を加えられた、真っ直な流れを持っていたとは、すぐにはわかるまい。

人が、いじれる自然の量など、たかがしれているのかもしれない。

百年、二百年の単位でなく、たとえば二万年、二億年のスケールで眺めれば、人間が自然に加えられる爪跡など、どれほどのものでもないのであろう。

しかし……

菊村は、また、思う。

おれは、今の早川の、この風景が好きなのだ。

二億年や三億年後の早川のことはわからないが、今の、この川のこの眺めが好きなのだ。

単純に好きなのだ。

鮎がいるから、いないからということでなく、この川に、自分は愛情を持っているのだと思った。

その時、背後から、小さく草を分けて近づいてくる足音が聴こえてきた。

「おい、あんた……」

声が聴こえた。

振り返ると、そこに黒淵平蔵が立っていた。

黒淵は、ゆっくりと歩いてくると、菊村の横に並んだ。

並んで、風の中に立ち、黒淵は、さっきまで菊村が眺めていた風景に、無言で視線を向けた。

横顔を見た。

これまで以上に、黒淵の頬の肉が落ちていた。

「ざまあ、みろ……」

低く、黒淵が囁《ささや》く声が聴こえた。

菊村に聴かせようとして言った言葉ではなく、自然に唇からその言葉が洩れたようであった。

これまで、菊村が見たことのない微かな笑みが、黒淵の唇に浮いていた。

黒淵の眼が、眩しいものでも見るように細められている。

「見ろよ」

黒淵がつぶやいた。

菊村に向かって言った言葉だった。

「やっと川らしくなってきたじゃねえか――」

「ええ」

菊村はうなずいた。

黒淵は、うっとりとしたような顔つきで、風の匂いを嗅《か》ぎ、鼻をひくつかせた。

黙った。

ただ、風の音と、川の瀬音だけを耳で聴いていた。

いつにない、不思議な共感を、菊村は、黒淵に対して抱いていた。

いったい、どれほどの年月、この男は、この川と親しんできたのだろうか――。

〃鮎源〃での話によれば、黒淵と、梶尾と、浅川は、子供の頃からの知り合いであったという。

そして、三人共に、〃鮎源〃を造った梶尾源三から鮎釣りを教えられた仲間である。

「どういう方だったんですか？」

菊村は訊いた。

「どういうって、誰のことなんだ？」

黒淵が逆に菊村に訊いた。

「梶尾源三さんですよ」

菊村が言うと、黒淵の顔が、わずかに綻《ほころ》んだ。

「変わった爺さんだったよ」

黒淵が言った。

「どんな風に変わってたんですか？」

「変わってるったって、悪口じゃねえよ。賞《ほ》めてんのさ。まったく、あの爺さんは、この早川の鮎の数まで、正確に知ってるんじゃねえかって、おれは冗談じゃなく、半分は本気で思っていたことがあったよ」

黒淵は、菊村が問うまでもなく、自分から、梶尾源三のことを語り始めた。

2

本当に奇妙な爺さんだったよ。

あの梶尾ん所の爺さんはね。

まだ、おれが、やっと鮎にのめり込みかけた頃のことだったかな。

たとえば、鮎のちんちん釣りをおれがやっているとね、いつの間にか、梶尾の爺さん

がおれの後ろに立っていてね、

「筋《すじ》がいいな」

なんて声をかけてくるんだよ。

〝釣りきり〟

ってのを、おれは、あの爺さんから教えてもらったんだ。

教えてもらったって、〝釣りきり〟なんて、今だによくわからないんだけどね。

何かって？

あわてるなよ。

たとえば、梶尾の爺さんと一緒に竿を出すだろう？

そうすると、爺さんだけが、たちまちそこらのポイントから鮎を釣り上げて、先に釣り上がってしまうんだ。

釣り上がるったって、それほど遠くへ行くわけじゃない。

少しだけ上へ移動して、おれが〝釣りきり〟になるのを待ってるんだ。

待ってるその間だって、何でもないポイントから、ひとつふたつは、鮎を上げてるのさ。

おれだってね、爺さんと一緒に竿を出す頃には、そこそこは上げるようになってたんだ。

自信もあったよ。

その自信が、梶尾の爺さんと一緒に出かけると、たちまち失くなっちまう。もう、半分、極道の方に足を踏み込みかけていたくらいだから、くやしくてね。倍近くも数で差をつけられちゃ、あたりまえかもしれないけどね。

で、おれは、梶尾の爺さんに訊いたのさ。

どうして、こういう差が出るのかってね。

そこで初めて、おれは、

〝釣りきり〟

と、

〝筋目〟

というのを、梶尾の爺さんから聴かされたんだよ。

〝釣りきり〟ってのは、ひとつの小さなポイントに、何匹ぐらい鮎がいて、そのうち餌に喰いついてくるのが何匹ぐらいかわかるようにならなきゃ、わからねえな。

でね、釣ってる最中に、爺さんがおれに色々と声をかけてくれるようになったのさ。

「その石なら、今の時間だったら、三尾がいいとこだよ」

「その石はもう〝釣りきり〟だよ」

「その筋目は、もう〝釣りきり〟だな」

「おかしいな。そこだったら、もうふたつは上がるはずだが――」

まさかと、おれは思ったね。

おれが竿を出して釣れないのに、他の人間が竿を出して——それがたとえ梶尾の爺さんでも、釣れるわけはないってね。

「まだ、みっつほどは残ってるよ」

しかし、梶尾の爺さんは、自分でそう言った場所《ポイント》からは、最低でも、自分が言った数だけは、いつもあげていたな。

おれが、竿を出して、もう、釣れないと判断したポイントで、爺さんはそれをやるのさ。情けなくなるよ。

爺さんに言わせれば、川に慣れれば、誰でもいつの間にか、ポイントがわかるようになるというのさ。

しかし、筋目まではわからない。

筋目ってのは、ようするに、ポイントの中にある、さらに小さなポイントってとこかな。

鮎ってのはね、不思議と餌を捕食する場所ってのが、決まってるんだ。

だから、いかにうまく、その捕食する場所へ、仕掛けを流してやるかということが、重要になってくるのさ。しかし、それは、その捕食点へ、仕掛けを放り込めばいいというものでもない。

一番必要なのは、その捕食点を通過する流れの中へ、仕掛けをいかにうまく乗せるかということなんだ。

その流れは、小さくてね。

ほとんどが、せいぜい、一センチから二センチくらいの幅しかない流れなんだ。その流れが、まずわからなければ、どうしようもない。

その流れに、うまく乗せられれば、そのポイントにいる、喰い気のたっている鮎は、ひと通り、釣りあげることができる。

これが〝釣りきり〟さ。

しかし、ポイントの大きさや、流れの加減で、その捕食点がいくつもある場所もあれば、手首の操作で竿にアクションを加えてやって、初めて向こうが喰いついてくる捕食点もある。

そこまでくると、もう、口じゃあ説明できないやね。

結局、川へ出て、場数を踏むしかないんだけどね。

こんなこともあったな。

毛鉤に、鮎が、全然来ない日があったんだよ。

八ツ橋も、黒龍も駄目でね、お染や、赤熊なんてやつにも来ない。いつもなら、コンスタントに喰いついて来て、はずれのない青ライオンにも来ない。

六月の朝に、三時間がんばって、たったの三尾しか数が出ないんだよ。

そこへね、川原へ梶尾の爺さんが降りてきて、どうだと訊くんだよ。

「駄目です」

と、正直におれは言ったよ。

周りを見回しても、ほとんど釣れちゃいない。

はっきり言えば、釣れたのはおれだけさ。

ぼつぼつと、友釣りに切り換える人間も出てきているけど、その友釣りの方も、見ているとさっぱりでね。

そういう日もあるんだな。

「仕掛けを見せてごらん」

と、梶尾の爺さんが言うんでね、おれは見せたよ。

「へえ」

梶尾の爺さん、驚いたような声をあげたよ。

「おもしろい仕掛けじゃないか――」

梶尾の爺さんは言ったよ。

その時、おれは、半分焼《や》け糞《くそ》でね、一本のちんちん釣りの仕掛けに、青ライオンを、四つも付けてたのさ。

青ライオン元黒。

青ライオン元孔雀。

青ライオン黄ヅノ。

青ライオン赤ヅノ。

そいつを眺めながら、爺さんが言うのさ。

「この仕掛けを、少しいじくってもいいかね」

「いいっスよ」

と、おれが答えたら、梶尾の爺さんが手を出してきた。

「ハサミを」

で、おれが、梶尾の爺さんに持っていたハサミを渡すと、いきなり、青ライオンの〝角《つの》〟を、爺さんはそのハサミで切ってしまったのさ。

「これで、やってみなさい」

爺さんは言うんだけどね。

でね、それで釣れたんだよ。

普段の日よりも、むしろ、調子がいいんじゃないかと思うくらいにね。

その、角を切った青ライオンに、二十センチ級《クラス》のやつが、次々に掛ってくるのさ。

魔法を使われたような気分だったよ。

3

「こと、鮎を釣る、ということに関しては、これまで、あれだけの人間に会ったことはないね」

黒淵は、低い声で言った。

——ふふん。

小さく笑ったようであった。

「どうしたんですか？」

菊村が、眼をやると、黒淵が、小さく、一度だけ身体を震わせた。

「いや、あの梶尾の爺さんのことを考えたんだよ」

「何を考えたんですか？」

「あの梶尾の爺さんが、おれが、今追っかけているような鮎を見たら、なんて思うかって考えたら、急におかしくなっちまったんだよ」

黒淵は、言いながら、まだ笑っていた。

「鮎のことでは、何をやっても、あの爺さんにゃ及ばなかったが、しかし、ひとつだけ、おれとあの爺さんとが、決定的に違うことがある……」

「何ですか？」

「それは、おれが、あの巨鮎に出会うことができて、梶尾の爺さんは、出会うことができなかったってことだ」

はっきりと言った。

強い笑みが、黒淵の唇に浮いていた。

菊村の知っているあのどこかに毒を含んだ笑みであった。

「それで、あの巨鮎はどうなりました？」

菊村が訊くと、黒淵の表情が動かなくなった。

視線を、川に向けたまま、動かさない。

「見つからねえ……」

低く、つぶやいた。

「駄目だったんでしょうかね」

菊村が言った。

「駄目？」

ふいに、黒淵が視線を菊村に向けた。

「駄目というのは、どういう意味なんだ。あの鮎が、くたばっちまったっていう意味かい？」

「いえ、そういう意味じゃ……」

「くたばるたまじゃないよ。やつは——」

黒淵は、川に向かって歩き出した。

川岸までは、ほんの数歩である。

川岸で立ち止まった。

その後方に、菊村が立つかたちになった。

「あの時だって、くたばらなかったんだ……」

黒淵は言った。

あの時——というのがいつのことであるのか、菊村にはすぐにわかった。

昨年の暮れから、今年の初めのことだ。

黒淵の追っている巨鮎が、毎年冬を越す場所があるのだが、そこに、ブルドーザーが入り、川床をさらい、川の流れを変えてしまったのである。

その時でさえ、巨鮎は、死なずに生きのびたのだと、黒淵は言っているのである。

「くたばるもんか……」

黒淵は言った。

「あれから、どうしてたんですか?」

「だから、捜してたんだよ」

「捜してた?」

「あの鮎をさ」

「水に入ってですか?」

昨年の夏に、箱眼鏡で、水中の石を覗きながら川を遡ってきた黒淵の姿を、菊村はまだ覚えていた。

「そうだよ」

黒淵は言った。

「この何日間かで、ひと通り捜し終えた。それで見つからない……」

黒淵が捜しているのは、その巨鮎そのものの姿ではない。

その鮎が、水中の石に付いた苔を喰《は》んだ跡である。

成長した鮎が食べるものは、基本的には石に付いた苔である。

食べれば、その水中の石の表面に、笹の葉状の喰み跡が残る。

だから、その喰み跡を捜せばいいのだ。

体長五十センチを越える鮎の喰み跡は、見ればすぐにわかる。

その跡が見つからないという。

しかし、だからといって、すぐに、あの巨鮎が死んだという結論に結びつくものではない。

いくら、小さい川とは言っても、ひとりの人間が、ある特定の鮎の喰み跡を捜して歩くことを考えれば、それでも広すぎる。

見つからなくても、生きている可能性はむろん、ある。

しかし――

そう思ったところへ、黒淵が口を開いた。

「あと、捜してないのは、山根の淵だけだ」

「山根の淵というと……」

「そうさ。毎年、あの巨鮎が夏場を過ごす場所さ」

「でも、あの洪水で――」

「ああ。やつが、いつも棲みつくはずの岩も、きれいにどこかへ流されちまってるよ」

「それでも、山根の淵なんだ。やつが、棲むのはそこしかない」

「────」

「捜したんですか？」

「捜したよ。山根の淵もね。正確に言うなら、おれの捜せる場所はだ──」

「────」

「山根の淵で、おれが捜せるのは、水深二メートルあたりまでなんだ。あそこには、もっと深い場所が、何ヵ所かある。そのどこかに、やつは棲みついているはずなんだ」

「何か、根拠でもあるんですか」

「おれがそう思うからだよ──」

「思うから？」

「ああ。他の、あらゆる場所は、おれが捜したんだ。下から順にね。湯本まで捜して、やつの喰み跡が見つからなかったんだ。捜せなかったのは、山根の淵の、一番深いあたりだけだ。だから──」

「そこにいると？」

「そうだ」

「────」

「おれは、もう、二メートル以上潜るだけの体力がないのさ。石を抱いて沈めばいいんだが、石を抱いていては、とても、その深場まで泳いでゆけない。あそこは、一番深い場所で、三メートルから、四メートル以上はあるだろう……」

「そういうことですか」

菊村は答えてから、沈黙した。

黒淵が、菊村を見つめたまま、視線を動かさないからだ。

「あんた……」

黒淵が言った。

「あんた、おれのかわりに、あそこへ潜ってみてくれないか」

「え？」

「あそこへ潜って、やつの喰み跡が岩に付いているのかどうか、それを見てきてもらいたいんだよ」

「本気ですか？」

「頼む」

いきなり、黒淵が、川原に膝を突いた。

その膝の前に両手を突く。

「やめて下さい」

黒淵が、土下座をしようとする前に、かろうじて、菊村は、黒淵の腕をとっていた。

黒淵を立たせようとするが、黒淵は、立ちあがろうとしない。

「やってくれるかい」

黒淵が言う。

――しかし。

と、菊村は思う。

もう、十代の人間ではない。

小さいながら、この街でカメラ店を経営している人間である。

その自分が、裸になって、いるかいないかわからない、おそらくはもういないはずの鮎を捜すために、川に潜るのだ。

人のいない場所とか、釣り人が来ない場所なら問題はない。しかし、山根の淵には、友釣りの人間が、いつも、何人か必ず竿を出している。

そういう人間たちの前で、泳ぐというのは常識を欠く行為である。

竿を出しているすぐその先で、誰かが泳いだ時の釣り人の気持ちはよくわかる。

菊村も、何度かそういう目に会ったことがある。

しかし、それは、いつも相手は子供であった。

今度は、大人の自分がそういうことをするのである。

いや、たとえ、人が誰もいない早朝を選ぶにしろ、何故、自分が、黒淵のためにそこまでやらねばならないのか――。

「黒淵さん、はっきり申しあげますが、何故、わたしが、あなたのためにそこまでしなくてはいけないいんですか？」

菊村は言った。

しゃがんだまま、膝を突いている黒淵を見た。

黒淵と、目が合った。

「ふふん」

黒淵が、小さく唇を吊りあげて、立ちあがった。

「あんたには、そんなことをしなくちゃならねえ義理はねえよ。初《はな》っから、こいつは無理筋を承知のたのみごとだったんだからな――」

ちっ、
と、黒淵は舌を鳴らした。

川岸に立って、そのまま川を睨《にら》んだ。

「金が無《ね》え分を、手前《てめえ》の頭を下げて埋め合わせようとしたんだが、そうはいかねえよな」

その背を、菊村は、しばらく見つめていた。

何か、妙な、熱い湯の塊りに似たものが、自分の腹の中にあった。

それが、ゆっくりと、喉元に向かってせりあがってくるようであった。

風に乗って、石垣山の杉林の中で鳴く、ヒグラシの声が届いてきた。

その声を耳にした時、ふっと、菊村は唇を開いていた。

「いいですよ」

菊村は、自分の唇が、そう言うのを耳にした。

何を言っているのか、このおれは——

そう思った。

「なに!?」

黒淵が、菊村を振り返った。

「いいですよ」

振り向いた黒淵に向かって、菊村は、もう一度、言った。

いや、黒淵に、というよりは、自分に向かって言い聴かせるために言ったのだ。

「明日の朝、潜りますよ。潜って、そこに、あの鮎の喰み跡があるかどうか、見てきますよ」

「へえ……」

囁くように、黒淵は言って、しげしげと菊村の顔を見た。

「おれは、今のあんたみたいな顔つきをする人間のことを知っているよ」

「——」

「何か欲しがっている時の人間の顔だな、それは……」

見つめ合った。

「何が欲しいんだ、あんた?」

黒淵が言った。

「潜って捜すかわりに、条件があります」

堅い声で菊村は言った。

「ほっとするようなことを言ってくれるじゃねえか」

黒淵は言った。

「ただの親切心からだなどと、あんたが言い出すんじゃないかって、こっちはびくびくしてたんだ。そういうのが、一番たちが悪いんだよ。何かをするかわりに、何かが欲しい、そういう話が、おれにとってはわかり易い話っていうのさ。いいぜ、言ってみな。あんたの条件てやつをさ――」

痩せて、黒淵がひ弱そうに見えるようになったかというと、そうではない。

痩せ、それが、かえって妙な凄みを、この小柄な男の肉体にまとわりつかせていた。

「潜って、もし、あの巨鮎の喰み跡を見つけたら、ぼくも参加させてもらいたいんですよ――」

「参加？」

「おれも、あの巨鮎を釣ってみたいっていうことです」

菊村は言った。

黒淵に対して、初めて、おれという言葉を使った。

「義理固い男だな、あんた――」

黒淵は言った。

「あんたの気持ちはよくわかるよ。あれを見ちまったんだからな――」

「いいんですか」

「いいさ。もともと、川の鮎なんて、誰のものでもない。しかし、あんたが、おれに内緒で竿を出し、あの鮎を釣ったら、おれはいい気持ちはしないだろうよ――」

「黒淵さんにことわりを入れてから、ぼくがあの鮎を釣ってしまったら？」

「やっぱりいい気持ちはしないだろうよ。あたりめえのことだがな」

黒淵は言った。

「いい気持ちはしねえが、仁義を通してきたんじゃ、しかたなかろうよ――」

「じゃ、決まりましたね」

「待てよ。こっちの方にも条件はあるぜ」

「条件？」

「ふたつだ」

「どういう条件なんですか」

「あんたが、水の底で見たもののことを、百パーセント、こちらに伝えてもらいたいんだよ。嘘無しでね」

「あたりまえじゃありませんか」

「もうひとつもあたりまえのことだ。あんたが、あの鮎を、どういう方法にしろ手に入れたがっているとして、その手に入れる方法は、釣りに限るってことだ――」

「コロガシは？」

「それはなしにしておこうよ。そんなところでどうかね」

黒淵は言った。

「わかりました」

菊村は答えていた。

答えた声が、少し震えていた。

4

山根の淵の周りは、藪が多い。

早朝の空気は、しっとりと湿って動こうとしない。

冷たい空気の中に、昨夜のうちに、樹々や葉の中から滲《にじ》み出た樹木の香気が、濃く溶けていた。

その大気を呼吸しながら、藪を分けてゆくと、たちまち全身がずぶ濡れになった。

藪や、草に夜露がたっぷりと凝《こ》っているのである。

岸に出た。

対岸の、すぐ川岸まで、山の岩肌が迫っている。

蚊が多かった。

追っても追っても、すぐに、肌や首筋に蚊がたかってくる。

下流に、ちんちん釣りの人間が三人ほど竿を出していたが、この山根の淵には、まだ誰も入ってはいなかった。

ここは、基本的には、友釣りのポイントなのである。

岸に出たすぐ右横に、すでに黒淵が来ていて、岩に腰を下ろしていた。

「よう」

黒淵は言った。

昨日と、同じ服装をしていた。

気のせいか、昨日よりも、黒淵の眼つきが鋭くなり、ぎらついていた。

「少し、遅れたな」

黒淵が腕時計を見ながら言った。

湿った咳をした。

「ちょっと、出がけにごたついてね」

菊村は言った。

ここしばらく、早川に足が遠のいていたのだが、急に、今朝、早川に出かけると菊村が妻に言い出したからである。

その日の午前中に、人が訪ねてくることになっていたのである。

約束の時間は、十時である。

やってくるのは、東京の大手カメラメーカーの営業部の人間である。

写真専門学校で、菊村とは同じクラスであった男だ。

こんど、小田原で、そのカメラメーカーの製品を並べて、カメラショーをやることになっている。その打ち合わせのためであった。

その菊村が、出かけることを知って、妻の美智子が怒ったのだ。

菊村が、いったん川へゆけば、約束の時間を守れなくなるのを知っているからである。

菊村は、妻に内緒で出かけて、朝食までにはもどってくるつもりだったのだが、起きた時に、美智子も一緒に眼を覚ましたのであった。

「どこへ行くの？」

と問われ、

「早川だ」

と、菊村は答えた。

「今日は、沢田さんが来る日じゃないの？」

「知っている。八時までにはもどってくる」

「またそんなことを言って――」

「釣りじゃない。竿は置いていく――」

「釣りじゃないのに、どうして早川に行くの」

問われた。

本当のことを、とても説明していられるものではない。

説明しても、信用してもらえるかどうかもわからない。

「知り合いが、鮎を釣りたいっていうんで、いい釣り場まで案内して、仕掛けを造ってやるだけだ」

嘘をついた。

「あなたは釣らないの?」

「おれは釣らない」

菊村は言った。

黒淵との約束は、朝の五時であった。山根の淵の前で、待ち合わせということになっている。

「とにかくちゃんと帰るから――」

そう言って、菊村は、わざわざ竿を駐車場の横に出して、家を出てきたのである。

ぴったりに着くつもりが、五分ほど遅れて現場に着いたのだった。

昨夜のうちに、車の中に入れておいたバッグを手に持っていた。

「カミさんともめたのかい――」

黒淵が言った。

「そんなとこさ」

菊村は言った。

へ――

と、黒淵は微笑した。

「あんたのことを、おれは、真面目なやつかと初めは思っていたんだがね、案外、あんた、おれたちと同じタイプの人間かもしれないな」

「同じ？」

「鮎で身を滅ぼしてゆくタイプさ」

「まさか。ぼくの鮎は、ただの趣味ですから——」

「ただの趣味で、こんなことまでするのかい？」

黒淵が言った。

菊村は答えなかった。

バッグを開いた。

中に、シュノーケルの付いた水中メガネが入っている。

それと、大きなタオルだ。

菊村は、シャツとズボンをそこで脱ぎ捨てた。

ズボンの下には、すでに海水パンツをはいている。

靴を脱ぎ、足にはフェルト底の足袋《たび》をはいた。その上から、足ヒレをつける。

軽く手足を動かして、膝まで水の中に入った。

水は冷たかった。

右手の上流部に、この淵に流れ込む瀬があり、絶え間ない水音が聴こえている。

上流部の遥か向こうに、箱根外輪山が見え、そこには、すでに朝の陽光が当っていた。

しかし、対岸に山が迫り、上に樹々のかぶさったこの山根の淵には、まだ、どこかに夜の気配が残っている。

軽く、身体に、水をかけ、菊村は、シュノーケル付きの水中メガネをかけた。

ゆっくりと水の中に腰を落とし、水面に顔を伏せた。

風景が一変した。

足を動かすと、身体がすっと前に出る。

川の流れはゆるやかだった。

眼の下を過ぎてゆく岩に、無数の鮎の喰み跡がついているのが見える。

菊村が動く度に、鮎が、跳ねるように水中で身を翻《ひるがえ》し、深みの方へと逃げてゆく。

途中で、顔をあげ、岸の方に眼をやった。

岸に立った黒淵が、真剣な顔で、菊村を見ていた。

「向こうだ」

黒淵が、対岸に近い、暗い緑色をした水面の方を指差した。

ゆっくりと、そちらの方へ移動した。

もう、水面を泳いでいるだけでは、底までは見えないほど深くなっていた。

大きな岩の上部が見えるだけである。

その岩の上部にも、きちんと鮎の喰み跡はついていた。

水は冷たかったが、菊村の肉の中には、奇妙な興奮があった。その興奮の熱気が、菊村の感じている水の冷たさよりも上まわっている。

潜った。

水を蹴ると、ぐん、と底が近づいてくる。

深場には、大きな鮎がいた。

その鮎が、たちまち四方へ散ってゆく。

ウグイや、アブラハヤもいた。

鱒《ます》や、山女魚の魚影も見える。

ビニール袋や、空き缶が沈んでいるのも見える。

菊村は、底の岩の上に付いた、鮎の喰み跡に、注意を向けながら泳いだ。

息が苦しくなり、水面に出て、空気を吸った。

このあたりで水深は三メートルほどだった。

流れはゆるかったが、思ったよりも、下流へ流されていた。

呼吸を整えて、また潜った。

それを何度か繰り返した。

しかし、目的のものは見つからない。

菊村は、いつの間にか流されて、対岸に近い、山根の淵の最深部のあたりにまで動いていた。

さすがに、身体は冷えきっていた。
ここに、一度潜ってから、いったん岸まであがることにした。
すでに、菊村は、半分あきらめている。
潜った。
水深四メートル。
大きな岩が見えた。
その岩の表面に何かが見えた。
どきりと、自分の心臓が動くのがわかった。
水を蹴った。
さらに深場に潜り込んだ。
見た。
さっき岩の表面に見えたものが、すぐ眼の前に見えた。
ひとつやふたつではなかった。
無数に、その跡がついていた。
大きな、太い筆を、勢いよく、岩の表面に疾《はし》らせたようなその跡。
かつて、菊村が見たことのあるものであった。
いっぱいに開いた手の平をあてたよりも、なお長い、太いその跡。
まぎれもない、鮎の喰み跡であった。

しかも、強烈な大きさを持ったものだ。

巨大な鮎が、この喰み跡を造る時に、悠々と身をうねらせたその姿形が見えるようであった。

もう、息が続かなくなっていた。

上へ上ろうかと思ったその時、その岩のさらに下方の底あたりで、何かが動いた。

ぎらりと、誰かが、暗い水の底で、太いナイフを抜き放ったように見えた。

その動きを、菊村は知っていた。

鮎が、岩についた苔を喰む時に身体をうねらせる、あの動きであった。

それは、信じられないほど大きかった。

水面へ出た。

最初に見たのは、頭上で、陽光を受けて光っている、梢の緑だった。

——黒淵は!?

菊村は、水面から、眼で、黒淵の姿を捜した。

一瞬、菊村は、黒淵の姿を見つけられずにいた。

さっきまで黒淵が立っていたはずの川岸に、誰かが倒れていた。

黒淵であった。

夕《ゆう》映《ばえ》

1

秋の、風であった。

その風が吹くと、菊村敬介の背後で、小さく銀色の芒《すすき》の穂がうねる。うねりながら囁《ささや》くような音をたてる。

その穂に、ようやく、朝の陽光が当っていた。陽がさらに昇れば、いくらもしないうちに、また、あの真夏日がもどってくるのはわかっていた。

しかし、今、水面を渡って菊村の頰を撫《な》でてゆく風は、はっきりと秋の気配を含んでいた。

夏の同じ時刻に吹く風にはない、どこか乾いたものがある。風に重さがあるのかどうか、菊村にはわからないが、風が軽くなっている。

九月――

風に含まれている植物の匂いも、いつの間にか、夏のそれとは違ってきているようであった。

山根の淵の水面には、まだ陽光は差してはいない。

崖の上から淵にかぶさった、欅《けやき》や胡桃《くるみ》の細い枝先が、小さく揺れている。

陽が差して、ようやく、大気が動きだしたばかりなのだ。

強い風ではなく、動くのは枝先と、無数の葉ばかりである。

その葉の上に、青い天がある。

九月に入った途端に、空の高さまでが増したようであった。

菊村は、腰の上まで、水に入っていた。

ウェーダーの腹のあたりを、ゆっくりと、巻き込むように水が流れている。

握っているのは、いつも使っている四・六メートルの、中調子の竿ではない。

九メートルある、友釣り用の竿であった。

竿先の硬い、硬調の竿である。

しかし、今、菊村がやっているのは、友釣りではなかった。

友釣り用の竿で、ドブ釣りをやっているのである。

六桁の値段で買った竿であった。

その竿でなければ、目的のポイントまで、竿が届かないのである。

そこのポイントに、あの巨鮎がいるはずであった。

昨年の十二月に、黒淵平蔵と見たあの巨鮎である。

水中で、太い鉈《なた》を動かしたように、ぎらりと白い腹をゆらめかせたあの鮎の姿は、今も菊村の脳裏に焼きついている。

その鮎を初めて眼にした時は、強い力で、いきなり心臓を握られたような気がした。

今、竿先から垂直に降りた釣り糸の下方に、その巨鮎がいるのだ。

深い、青緑色をした水中で、その鮎が、悠々《ゆうゆう》と苔を喰《は》んでいる姿までが眼に浮かんでくる。

ゆっくりと、菊村は、竿先を上下させている。

竿先を、ゆっくりと下へ降ろしてゆく。

すぐに、ごつんと、錘《おもり》が水底に当る感触があった。ひと呼吸おいて、竿先を持ちあげてゆく。一メートルほどあげて、また、降ろす。

その、繰り返しであった。

陽が昇る前から始めて、すでに二時間近くが経《た》とうとしていた。

その間に、釣れたのは、ハヤが四尾である。

鮎は、まだ一尾も釣れてない。

鮎が釣れるも何も、菊村が釣ろうとしているのは、ただ、あの巨鮎一尾のみである。

たとえ、三十センチの鮎がかかろうが、その意味では、その鮎もただの雑魚《ざこ》にしかすぎない。

すでに、連日、山根の淵に通い始めて十日が過ぎようとしていた。

初めは、たかをくくっていた。

黒淵が、死んだ妻の陰毛で造ったという黒水仙という毛鉤《けばり》のみに、あの巨鮎が喰いついてくるというのを耳にした時、まさか、と思った。

まさかとは思ったが、黒淵がそう言う以上、さからう理由は菊村にはない。そういうものかとうなずいただけである。

しかし、いざ、自分がその鮎を釣ろうとした時に、菊村が選んだのは、普通の鮎用の毛鉤であった。

青ライオン元孔雀《くじやく》。

赤お染《そめ》。

暗烏《やみがらす》。

八ツ橋荒巻《あらまき》。

最初の一日は、その四つの毛鉤で攻めた。

ちんちん釣りである。

さすがに、ハリスは一号のものに変えた。

市販の毛鉤のハリスでは、あっという間に切られてしまうからだ。

市販されている鮎用の毛鉤というのは、もともと、三十センチ以上の魚を対象にして造られたものではないのだ。

友釣り用の竿に、その仕掛けをつけて、山根の淵に立った。

それでも、あの巨鮎がかかるだろうと菊村は考えたのだ。

しかし、釣れたのは、普通サイズの鮎と、ハヤのみであった。

五時間ねばったが、巨鮎は釣れなかった。

もっとも、その仕掛けにあの巨鮎が喰いついてきたとしても、果たして釣りあげることができたかどうか。たちまち糸を切られてしまったろう。

三日、通った。

毛鉤を替え、あの手この手を使ってがんばった三日間であった。

巨鮎は釣れなかった。

次が、友釣りである。

見よう見真似で、友釣り用の仕掛けを造り、それで、竿を出した。

初めての友釣りである。

囮《おとり》はうまく泳がず、初日は、二尾の鮎を釣ったのみであった。

その翌日と、そのまた翌日と、友釣りをやった。その二日間とも、釣れた鮎は四尾であった。

三日で、友釣りをあきらめた。

それで、すでに六日を使ってしまった。

次の三日間は、餌釣りをやった。

すでに、その時には餌釣りの解禁になる九月に入っていたのである。

シラス。

アジの生肉。

ゆでた卵。

早川では禁止されているオキアミまで使ってみたが、だめであった。

鮎そのものは、これまでのどのやり方よりもたくさん釣れたが、かんじんの巨鮎はかからなかった。

十日目の今日、ドブ釣りにしたのである。

ミチイトは、一・五号の通し。

それに、七号のヤマメ鉤をつけた。

ただのヤマメ鉤ではない。

自分の陰毛を使って、自分で巻いた毛鉤であった。

以前に見た、黒水仙の形状を真似て、その形になんとか似せて自分で巻いたものである。

ミノも胴も、真っ黒で、ただ一ヵ所、ツノの部分だけを、黄色にした。

その黄色のツノの部分だけは、インコの羽毛を使用した。

黒を地にして、黄色を混ぜるというパターンで、三種類の鉤を造った。

それでドブ釣りを始めたのだが、最初の一時間で釣れたのは、ハヤばかりであった。

途中から、フライに変えた。友人から借りてきたロッドに、陰毛の毛鉤を使って見よう見真似のキャスティングでやってみたが、それも駄目であった。

何度かラインも変えて、キャスティングをした。それでも駄目であった。

それを一時間ほどやって、またドブ釣りにもどったのである。

しかし、今度はハヤの魚信さえない。

万策が尽きかけていた。

2

駄目なのか——

と、菊村は思っている。

おれの造った毛鉤では駄目なのか。

陰毛の毛鉤で、どういうやり方をしても、鮎などは、一尾もかかってこなかった。

黒淵に欺《だま》されたのか——

そんな疑念さえ、湧いた。

いったい、自分は何をしているのか。

正気の沙汰ではない。

十日、毎日、この山根の淵に通っているのである。

仕事は、投げていた。

それでも、最初の何日間かは、竿を出したのは、朝と夕刻のみであった。

しかし、友釣りになってからは、それが、朝から夕刻までの一日中ということになった。

仕事のことが、念頭から消えたわけではない。

そのことを思い出すと、寒気《さむけ》に似たものが、身体に疾《はし》り抜けそうになる。

大の大人が、自分の仕事を放り出してやることではないのだ。

そのことは、わかる。

わかるがしかし、竿を出してしまうのである。

もし、自分がいない時に、黒淵がやってきて、あの鮎を釣ってしまったら——

そう思うと、一日でさえ、休めないのである。

業《ごう》だ。

何か、得体の知れない狂気に、自分は憑《と》かれてしまっているのだ。

しかし、それにしても、黒淵はどうしたのだろうか。

竿を出していると、ふと、黒淵のことが頭をよぎる。

黒淵とは、十一日前に会ったきりになっていた。

会ったのは、この山根の淵だ。

巨鮎の喰み跡を捜すために、黒淵に頼まれて、今竿を出している淵に、菊村が潜った日である。

その時、巨鮎の喰み跡をようやく見つけた菊村が水面から顔を出した時、岸で立っているはずの黒淵の姿が、一瞬、見えなかった。

黒淵は、それまで立っていたはずの、岸辺の岩の間に、身を伏せるようにして倒れていた。

急いで岸にもどり、菊村は、黒淵を抱き起こした。

黒淵は、呻《うめ》きながら顔をあげ、

「なんでもねえよ」

苦しそうに腹を押さえて言った。

なんでもないわけはなかった。

黒淵の顔からは、ほとんど血の気がひいていた。顔の皮膚が、土色をした紙のようになっていた。

髪が後退した額に、ふつふつと、汗の玉が浮き出ていた。

眉の間に、深い縦皺《たてじわ》がより、唇が、苦しそうに歪んでいた。

「どうだ、喰み跡はあったろう？」

苦しそうな声で、黒淵は言った。

「ありました」

「巨鮎《やつ》のだろう？」

「はい」

そこまで答えた時、黒淵は、がっ、と口から赤いものを吐き出した。

大量の血であった。

「大丈夫ですか」

「なんでもねえって言ってるだろう」

黒淵は言って、ふりほどくようにして、菊村の腕の中から抜け出したのであった。

その黒淵を、そのまま、家まで車で送り、その時から、黒淵の姿を見ていないのだ。

――何故、黒淵は来ないのか。

鮎の喰み跡が見つかった以上、黒淵がこの山根の淵まで来ない理由はない。

当然のことながら、菊村が、あの巨鮎を釣るために、さっそく動き始めることは、黒淵は承知しているに違いなかった。

まごまごしていれば、巨鮎を菊村に釣られてしまう。

そういうわけにはいかない立場に、黒淵はいるはずであった。

ならば、何故、黒淵はやって来ないのだろうか。

おそらく――

と、菊村は思う。

黒淵に、来られない事情ができたのであろう。

その事情の見当が、菊村にはつく。

病気である。

何かの病に、黒淵が冒されているのは、以前からわかっていた。

もっと以前にも、菊村の前で、黒淵は、大量の血を吐いたことがあるのだ。

病に冒されているのは、おそらく内臓であろうと、菊村は見当をつけている。

その病が、あの日以来、いよいよ悪化したのであろう。

ことによったら、病院に入院しているということも考えられた。

そうでなければ、この山根の淵に、黒淵がやって来ないことの説明がつかない。

黒淵の家へ顔を出してみようかと、何度か菊村も考えたことがある。しかし、結局菊村は黒淵の所へ出かけなかった。

理由はわかっている。

もし、黒淵が、本当に病気で、入院をしているか動けないような状態であったりしたら——それを確認してしまったら、自分はこの山根の淵で竿を出すことができなくなってしまうであろう。

たとえ、黒淵が病に冒されてひどい状態になっているとしても、それを知らずにいるのなら、それはそれで、しかたがないのではないか——。

そう思っている。

だから、黒淵の家へ顔を出さずにいるのだ。

勝手な理屈だとはわかっている。

あの巨鮎は、あの黒淵のものだ。

黒淵こそが、あの鮎を釣る権利がある。

自分は、黒淵とあの鮎との間に、横から割り込んできた人間である。

そう思いながら、いや、まだ釣られてない鮎は、もともと誰のものでもないという考えが頭を持ち上げてくる。鮎は、釣った人間のものではないのか——。

まるで、他人が先に惚れた女に、後から惚れた男が手をつけようとしているみたいだと菊村は思う。

次第に、風が強くなってきていた。

後方の、芒のうねりが、大きくなってきているようである。

魚信《あたり》はない。

やはり、駄目なのか。

濃い疲労が、肉の中にあった。

やはり、あの黒淵が造った黒水仙でなければ、あの巨鮎は喰わないのか——。

菊村は、意地になって、竿を上下させていた。

菊村の立っている水面に、陽光が差した。

それが合図であったかのように、強い風が下流から水面を吹いて、細かなさざ波が、山根の淵を疾り抜けた。

その時であった。

ふいに、竿を握った手元に、ごりごりという感触が動いた。

竿先が、水中に向かって垂直に沈み込んだ。

来た!!

夢中で合わせていた。

合わせた竿が止まった。

まるで、水中の堅い岩に引っかかったような気がした。

いきなり、引かれた。

凄い疾《はや》さで、糸が上流に向かって疾った。

水を切った。

強烈な引きであった。

心臓が破裂した。

あらゆる思いが、念頭から消えていた。

立てた竿が、ぐいぐいと先に引かれ、竿先と糸とが造る角度が、どんどん大きくなってゆく。

糸が切れそうであった。

もし、竿と糸とが一直線になったら、あっさりと糸は切られてしまうだろう。

自分の喉から、何かの声が洩れたようであった。

意味のない言葉を叫んだのか、呻《うめ》き声をあげたのか、菊村にはわからない。

菊村は動いた。
糸が疾る上流に向かって、歩を進めた。
水中の岩を踏んだ。
バランスを崩していた。
前向きに、倒れた。
バレる!?
その恐怖が、一瞬、疾り抜ける。
水中に顔が沈んだ。
しかし、竿は放さない。
ずぶ濡れになって起きあがった。
バレてはいなかった。
魚の動きが変化していた。
斜め下流に向かって動いていた。
対岸の岩壁の方へ、糸が水面を疾ってゆく。
風を切って、糸が鳴っていた。
深みに入っていた。
肩まで水につかっていた。
ゆるい、太い水のうねりが、菊村の身体の周囲で動いている。

ウェーダーの中に、水が入ってきていた。
菊村の身体は、下流に向かって流されていた。
バランスを崩さぬように、流されるまま、菊村は水中で岩を踏んで歩いた。
もう少し浅い場所に出れば、踏みとどまることができる。
対岸に向かって、糸がいっぱいに伸びていた。
魚が、水底から水面近くへ浮きあがってきているのである。
跳ねた。
水面を叩き、しぶきをあげて、その魚が躍りあがった。
また潜った。
動きが変化した。
心臓が、喉からせり出しそうになっていた。
そいつは、潜りながら、真っ直下流に下り始めた。
竿が、満月の形にたわむ。
しかし、竿は放さない。
ウェーダーに、たっぷりと水が入って、うまく動けない。
もう、十メートルは下っている。
あと少し下れば、大きな落ち込みがある。
その流れの中に入られたら終わりであった。

流れに逆らって、今、手元に伝わってくる力を引き抜くだけの強さが、使用しているミチイトにはないはずであった。

また転んだ。

水を飲んだ。

その後、どれくらいの時間、その魚とやりとりをしたか、菊村には記憶がない。

五分であったか、十分であったか。

それとも十五分であったか。

ずぶ濡れになり、腰に差していたはずの、攩網《たも》も、気づかぬうちに、流されていた。

ようやく弱った魚を、落ち込みの手前で、やっと岸辺に抜きあげた。

岸に抜きあげられた魚が、草の中で跳ねた。

水を、髪から滴《したた》らせながら、菊村は、草の中を覗き込んだ。

みごとな大きさの魚であった。

四十センチを越えている。

しかし、それは、鮎ではなかった。

「山女魚《やまめ》か――」

菊村は、つぶやいた。

成長し、鼻先が、鮭《しゃけ》のように大きく曲がった山女魚であった。曲がった鼻先が、墨のように黒い。

三十センチを越える大きさに成長した山女魚に見られる特徴であった。

体高があり、肉に厚みのある、こんもりとした大きさの山女魚であった。

その山女魚の上顎に、七号の鉤が掛かっていた。

「山女魚か……」

菊村はもう一度つぶやいた。

草の中にいる、濡れた菊村の背に、陽光が差していた。

疲れが、菊村の背から天に抜けてゆく。

菊村の周囲で、しきりと芒がうねっていた。

3

病院特有の匂いが、その長い廊下には漂っていた。

何かの薬品の匂い。

妙に甘みのある匂い。

死を真近にむかえた人間の肉体の周囲にまとわりつく、腐臭とも死臭ともつかないもの。

さらには、その匂いに、尿の匂いやら、人の汗の匂いまでもが混じっているようである。

しかし、菊村には、その匂いが、はっきりどういうものの匂いであるのかわかっているわけではない。

想像である。

小田原市立病院——

この病院が、この近代的なビルに生まれ変わったのは、いったい何年前であったろうか。

廊下を歩きながら、菊村は、思った。

しかし、建物がいくら近代的になろうと、その中に満ちている匂いまでは変わりようがない。

コンクリートの壁の中心までも、すっかり病院特有のその匂いが沁《し》み込んでしまっているようであった。

それからこの廊下だ。

どうして、どの病院も、こんな風に廊下が長く感じられるのだろう。

黒淵平蔵の入院している病室は、どうやらこの廊下の一番先にあるらしかった。

右手に下げた、果物を盛り合わせた籠《かご》が、どこかしらじらしかった。

自分とあの男とは、こういう関係のつきあいをしているわけではない。

缶ビールの一本か、安いウィスキーの小瓶《こびん》をぶら下げてやって来る方が、まだ、黒淵と自分との関係にとっては似つかわしい。

黒淵の家を訪ねたのは、昨日の夕刻であった。

山根の淵で、大きな山女魚を釣ったのが、やはり昨日の朝である。

黒淵は、留守のようであった。

玄関で何度か声をかけたが、反応はない。

鍵がかかったままになっている。

あきらめて、帰りかけたところへ、隣の家の窓が開いて、そこから主婦らしい女が、声をかけてきたのだ。

「黒淵さんなら、病院ですよ」

女はそう言った。

「病院？」

「七日前に、救急車で運ばれたんですよ」

「どこの病院ですか？」

「市立病院ですよ」

瘦せた顔をしたその女は、そう言って不思議そうな顔で菊村を見つめた。

黒淵の家へ、来客があったということが、よほど珍しいらしかった。

七日前というと、菊村が、水に潜ってあの鮎の喰み跡を発見してから三日後のことである。

そして、今日、入院中の黒淵を見舞うために、この市立病院までやってきたのである。

受付で、黒淵の部屋の番号を聞いた。

黒淵の部屋の番号はすぐわかった。

北側の病棟の三階に、黒淵の部屋はあった。

六人部屋であった。

部屋の前に立って、入口の名札を見ると、そこに六人の男の名が記されていた。そのうちのひとりが、黒淵平蔵であった。

ゆっくりと、部屋へ入って行った。

左右に、三つずつのベッドが並んでいる。

つきあたりが窓であった。

右の一番奥——窓よりのベッドに、黒淵が仰向《あおむ》けになって横たわっていた。

点滴の最中であった。

ベッド横に立てられた支柱から、黄色い液体の入った瓶がぶら下げられ、そこから、細い管が、注射器へとつながっている。

テープで止められた注射針が、黒淵の左腕の中に潜り込んでいた。

入ってきた菊村に、すぐに黒淵は気がついた。

菊村は、果実の入った籠を下げたまま、ベッドの横に立った。

黒淵は、さらに痩せていた。

短期間のうちに、人の肉体がここまで痩せてしまうのかと思えるほどだ。

頬の肉が削《そ》げ、それでもわずかに残っていたふくらみが、失《な》くなっていた。

四歳か五歳、いっきに老《ふ》け込んだように見えた。

「あんたか……」

黒淵は、視線を動かして、菊村を見た。

その声と、眼の生気だけは、以前と変わりがない。

その声を聴き、その眼を見、菊村はわずかにほっとした。

そばにいるのがいたたまれないほど、黒淵の状態が悪かったら、どうしようかと菊村は考えていたのである。

「昨日、入院したというのを聞いたんですよ」

菊村は言った。

黒淵は、菊村が手にしている果実の入った籠を見て、
ふん、
と小さく笑った。

「具合はどうなんですか」

「悪いね」

黒淵はぶっきらぼうに言った。

黒淵は、自分の腕の中に潜り込んでいる注射針の方に眼をやり、

「ざまあねえよ」

つぶやいた。

「八日前に、入院したって聞きました」

「ああ。あんたと山根の淵に入ったあの日の晩から、ものが喰えなくなっちまってね。無理して、喰い物を口に入れても、みんな吐いちまうんだ。ビールと、家にあったトマトを齧《かじ》って、しばらく寝込んで床《とこ》の中で唸《うな》ってたんだが、いよいよ四日目に動けなくなって、目までかすんできやがったのさ――」

言葉を止め、黒淵は、しばらく呼吸を整えた。

「四日目にさ、金のさいそくにやってきたのがいたんだよ。新聞屋だけどね。そいつが、三月前の新聞代を取りに来て、床の中で唸っているおれを見つけて、救急車を呼んだんだよ。その車でここへ運ばれて、そのままずっとこの格好だよ」

――何の病気か？

そう訊《き》こうとして、菊村は口をつぐんだ。

たちの悪い病気であったら、という思いが脳裏をかすめたのである。

その菊村の思いを見透かしたのかどうか、

「胃だよ」

黒淵が言った。

菊村を見た。

「胃潰瘍《かいよう》だとさ。胃に、ふたつみっつ穴があいちまってるんだと言われたよ。本当かどうかはしらねえけどね」

黒淵は、菊村を見つめたまま、視線を動かさない。

「あんた、人相が変わったな」

黒淵が言った。

「人相？」

「こわい顔つきになってるよ」

そろりと、黒淵が言った。

菊村は、鈍い色の刃物を、ふいに黒淵から突きつけられたような気がした。

その刃物が、自分の心臓の中に潜り込んできたようであった。

「言えよ」

黒淵が、下から、菊村の眼を覗き込む。

「行ったんだろう？」

優しい声だった。

「行った？」

「巨鮎《やつ》をねらいにさ」

「――――」

「山根の淵へ、巨鮎を釣るために、毎日通いつめたんだろう？　通いつめて、釣れなかったって、その面《つら》に書いてあるよ」

初めて、黒淵は、低く声をあげて笑った。

「で、おれが、姿を見せないもんだから、だんだん気になって、それでおれの様子を見に出かけたんじゃないのかい。そこで、おれが入院したのを知ったんだろうが」

黄色い歯を見せて、黒淵は微笑した。

「よくわかるんですね。その通りですよ」

「へ——」

黒淵は、いったん眼を閉じ、また眼を開いた。

「ほっとしたよ。ほんとは、あんたがあの巨《でか》い鮎を釣っちまったんじゃないかって、そのことでおれはびくびくしてたんだよ」

「あの鮎は、釣れませんでした」

「だろうよ」

黒淵は、満足そうにうなずいた。

「巨鮎は、おれの造った黒水仙にしか喰いついてこないのさ。黒水仙を持っていないあんたには、まず、釣ることはできなかろう」

「——」

「皮肉なことじゃねえか」

黒淵が言った。

「何がですか？」

菊村が訊いた。

「そうじゃねえか。こんなとこで、こんなざまになっているおれは、あの鮎が喰いついてくる黒水仙を持っているが、川に出かけることができねえ――」

「――」

「あんたは、川にゆくことはできても、黒水仙を持っちゃいねえ……」

「そういうことですか」

「皮肉というのはそういうことさ」

菊村は、果実の籠を下げたまま、黒淵を見つめていた。

「何か、言いたいことがありそうな面だな」

「黒淵さんの言う通りです。色々なことをやりました。考えつくことのひと通りはね――」

「長い竿を使ってやったんだろうが。あんたの得意なちんちん釣りで、毛鉤を色々変えることから始まって、友釣り、餌釣りと試してみたあげくに、おれの黒水仙を、見よう見真似で造って、それでやってみたりもしたんだろうさ」

菊村は、言葉もなかった。

自分のやったことをそのまま黒淵に言いあてられたからだった。

痩せた黒淵の顔には、嬉々《きき》とした表情さえ浮いているようであった。

「貸して欲しいんだろう?」

黒淵が言った。

「おれの、黒水仙をさ」

また、菊村の眼を覗き込む。

菊村は、肯定も否定もしなかった。

黒淵の眼を見つめていた。

「しかし、そりゃあできねえよ。そこまでの義理はない――」

「ええ」

ようやく、菊村はうなずいた。

「いいかい、今度はおれの番だ。おれが、ここで、口も利《き》けないような状態で寝ている間に、あんたはあんたのやり方で、好きなだけのことをやったんだ。だから、今度はおれの番なんだ」

黒淵の声が、熱を帯びていた。

「入院は、してみるもんだな。ここへ担《かつ》ぎ込まれた時は、まともに口も利けなかったんだ。それがこうやってあんたと口を利けるくらいにはなってるんだからな。本当なら家で、あのままくたばっていてもおかしくなかったんだ。おれの家に、銭を取りに来た人間が、おれを助けてくれたのさ。運がいいだろう。死ぬもんかと、おれは思ったよ。死んでたまるかとね。いや、おれは死ぬよ。きっと死ぬな。よくて年内いっぱいか、そこいらまでもてばいい方だと思ってるよ。しかし、巨鮎《やつ》を釣るまでは、くたばらねえ。巨鮎を釣ってから死ぬんだ――」

黒淵の、黄色く濁った眼が、強い光を帯びていた。

声が震えていた。

声だけではない。興奮のため、その身体も小刻みに震え始めていた。

「本当を言うとね。おれは不安だったんだよ。おれが動けないでいる間に、あんたが、巨鮎を釣っちまうんじゃないかってね――」

「黒淵さん……」

「ここを抜け出そうとして、廊下にぶっ倒れたこともあったんだ。あんたには、巨鮎は釣れない。巨鮎を釣ることができるのは、おれの持っている黒水仙だけなんだということはわかっている。わかってはいても、それでもおれは不安だったんだ。あんたが来てくれて、おれはほっとしてるよ」

「――」

「次は、おれの番だぜ。巨鮎は、おれが釣るんだ」

黒淵は言った。

4

菊村は〝酔処《よっとこ》〟で、飲んでいた。

日本酒である。

相手は、中根であった。

ビールから始まって、ビールの最初の一本が空いてから、日本酒になった。

肴《さかな》は生シラスである。

いつもより、ピッチが早い。

黒淵の所へ見舞に出かけた日の晩であった。

黒淵を見舞に病院へ出かけ、帰ってきたところへ、店に中根から電話があったのだ。

今晩〝酔処〟で飲まないかと、誘われたのである。

店の仕事がひと通りかたづいてから、菊村は〝酔処〟に出てきたのだった。

飲みながら、ぽつり、ぽつりと話をした。

最初は、中根の書いた小説の話をした。

「何にも失《な》くなっちゃったみたいなんだよな」

中根は言った。

「一本書きあげたら、全身の力が抜けちゃってさ。三日から四日くらいは、ぼうっとして家でごろごろしてたんだ」

中根の声の調子には、どこか楽しそうなものがあった。

「きっと、すっきりしちゃったからなんだろうな」

中根は、酒を飲みながら、独《ひと》り言《ごと》のように言った。

「すっきりって？」

「だからさ。いろんなことが、身体中のあちこちに詰まってたみたいなんだ。それが、書きあげたら、みんなきれいにどこかへ行っちまったみたいでさ」

「へえ」

「それで、すっきりして、ぼうっとなっちゃったんだ。もう、書くことなんて失くなっちゃったような感じでね。それがさ、五日もしないうちに、急にまた書きたくなってきたんだよな」

「書きたく？」

「ああ。今は、よくわかるんだけどね、あれは、何にも失くなっちゃったんじゃなくて、ただ、余計なものが失くなっただけだったんだ」

「余計なもの？」

「うまく説明できないんだよ。小説を書くためには余計なものっていうのかね。ちょっと違うな。それも小説書くためには必要なものには違いないんだろうからね——」

「——」

「なんか、自分を試そうとしたようなところがあったんだよな。どこまで、自分が本気で小説をやれるか、どこまで目ェ吊りあげて書けるか、そういうことを試そうとしたんだよ。そういうのが、今回はないんだよ」

「今回って、また書き始めたの？」

「おれだってさ、信じられない気分だよ。でも、書けるんだよ。でも、自分を試してみて、そういうことが、自分はできる人間なんだってことが、わかっちゃったみたいなんだ。おれ、好きなんだよな、独りで、原稿用紙の升目《ますめ》に字を埋めていくっていうの。そういうことが、わかっちゃったんだ。だからもう、試す必要がないんだ。それで、すっきりしちゃったんだろうな。だから、本当は、何にも失くなっちゃったんじゃなくて、余計なものが失くなっちゃっただけなんだ。だからさ、今、書きたいものがどんどん書ける。おもしろいようにね。書けば書くほど、書きたいものが見えてきて、書きたいものが増えてくるんだ、どきどきしてくるよ、書いていてね」

「そういうものなのかい」

「うん」

少年のように、素直な返事を、中根はした。

中根から、何かの皮が、一枚剝《む》けてしまったようであった。

「一生書いていくよ」

中根は言った。

「だから、とりあえず、来月あたりからまた仕事を始めようと思っているんだ」

「仕事?」

「ああ」

「書くって決めたんじゃなかったのかい」

「決めたからさ」

「――――」

「一生書いていくんだ。そう自分のことがわかっちゃったら、今、仕事をやめて、売れたらどうしよう、売れなかったらどうしようという賭けみたいなことは、どっちでもよくなっちまったんだよ。仕事をやめるんなら、本当に売れてからでいいんだ——」

「しかし、別に仕事をしながら書くっていうのは、たいへんなことじゃないのか？」

「たいへんさ。よくわかってるよ。これまでそういうやり方してたわけだからね」

中根は言った。

「でも、そのたいへんの覚悟がついちまったんだよ」

中根は、酒を口に運んだ。

菊村に負けず、いいピッチであった。

「今日、電話で呼び出したのは、その話をするためだったのかい」

菊村が言った。

「まあ、ね」

中根は、菊村を見、何か言おうとした言葉を呑み込んだ。

酒を飲んだ。

「なんだ、言えよ」

菊村は言った。

「鮎のことさ——」

中根は言った。

「鮎？」

「おまえ、ここのところ、毎日鮎に行ってるんだって？」

「うちの店で聞いたのか」

菊村に問われて、

「ああ」

中根がうなずいた。

「昨日、店に顔を出したら、奥さんに会ってね」

「うちのに？」

「彼、最近通ってますかって、うっかり気軽く声をかけたら、毎日だって、奥さんが言ってた。本当に毎日かって訊いたら、そうだって奥さんが言うじゃないか」

「――――」

「驚いたよ」

言って、中根は黙った。

「本当さ。この十日余り、毎日、早川に出かけてたんだ。朝と夕方――時には一日中ね」

「いつも、持っていく竿が違うんだって？」

「ああ」

「友釣りを始めたのか？」

「そういうわけじゃない」

「何故なんだ」

「――」

「何か、ねらってるのか?」

中根が言った。

菊村は黙っていた。

「奥さん、心配してたぜ。おまえが、最近、鮎釣りに通うのはいいんだけど、それだけじゃなく、どこかおかしいんだって――」

「おれが?」

「ああ。鮎釣りに行くのに、少しも楽しそうに見えないんだって言ってたな。何か心あたりはないかって、逆に訊かれたよ。それが、ちょっと気になっててさ。別に、今日はこういうことをおまえに言うつもりじゃなくて、ただちょっとおまえの顔を見ておこうと思っただけなんだ。それだけのことだったたんだけどさ――」

言ってから、中根は頭を掻いた。

「おかしいよな。この歳になって、いきなり仕事を放り出して、小説を書き始めちまうおれみたいな人間がさ、自分よりずっとまっとうな仕事しているおまえのこと、いっちょまえの面をして心配しようとしてるなんてね」

中根はまた酒を飲んだ。

手酌《てじゃく》である。

沈黙があった。

「先生さ——」

ややあって、菊村が、低い声で、中根に声をかけた。

「なんだ」

杯をカウンターに置いて、中根が顔を菊村に向ける。

菊村が、その中根の顔を、真剣な表情で見つめた。

「おれとおまえとで、今年の六月に、鮎に行ったよな」

菊村は言った。

「六月一日のことか」

「そうだ。その時、でかい鮎が釣れたろう」

「あのでかいやつか？」

「四十センチを越えるやつだ。四十四センチだったかな」

「凄かったな、あの鮎は——」

その時のことを思い出したように、中根は眼を細めた。

「もし、あれよりもでかい鮎がいるっておれが言ったら、おまえ、信じるか？」

「あれよりもでかい鮎が？」

「そうだ」

「とにかく、あの現物をおれは見たわけだからな。一センチや二センチなら、あれより大きい鮎がいたとしても、おかしくないだろうな」

「いや、一センチや二センチじゃない。十センチ。ことによったら十五センチ以上も大きい鮎のことだ」

「いるわけないだろう。そんな大きな鮎がさ――」

言ってから、やけに真剣な眼つきで自分を見ている菊村に、中根は気がついた。

「おいおい、待てよ、いるのかい、そんな大きな鮎がさ」

「いると言ったら？」

「いるのか？」

中根が小声になった。

「だからおれがそう言ったら信ずるか？」

「信じないな。それは、人間で言えば、身長が四メートル近くあるやつが、いるかどうかということと同じじゃないか――」

「――」

口をつぐんでいる菊村の眼を見つめ、

「いるのか？」

中根が、囁くような声をあげた。

「おい、本当に、そんな大きさの鮎がいるのかよ」

言ってから、中根は、菊村を見た。

「まさか……」

見つめながら、つぶやいた。

「まさか、おまえ、その六十センチあるという、その鮎を釣ろうとしているのか？」

5

車を停めた。

自分の眼つきが、鋭くなっているのがわかる。

あの黒淵が、こわいと、そう表現した眼つきだ。

顔を動かすと、バックミラーの端に、その顔が映る。眼つきだけではない。頬の線や、唇の様子まで、以前の自分とは違ってきてしまっているようであった。

〝酔処〟で、中根と酒を飲んでから、四日が経っている。

今朝を数に入れれば、その四日の間、毎朝早川に通ったことになる。

ドアを開け、外に出る。

まだ、陽の出前であった。

トランクを開け、竿を取り出した。

友釣り用の、九メートルのカーボン竿だ。

風は、まだ動きはじめてない。

大気の中には、いよいよ、秋の気配が濃くなっている。
竿を抱え、土手の上にあがる。
草に凝《こご》った夜露が、たちまち、ウェーダーの足を濡らした。
土手の上にあがったその場所で、菊村は足を止めていた。
その土手の上の草の中に、見覚えのある自転車が倒してあったからである。
黒淵平蔵の自転車であった。
——黒淵が来ているのか。
まさか。
と思った。
自然に、足が早くなった。
土手の上を足速やに歩いた。
西湘《せいしょう》バイパスの下をくぐると、山根の淵が向こうに見えた。
そこに、人影があった。
水の中だ。
水の中に立ったその人影が、水の中を動いているのである。
黒淵であった。
両手に、長い竿を握っていた。
その竿の先が、垂直に下を向いている。

何かが、掛かっているのである。
大物だ。
心臓が音をたてた。
土手の上を、菊村は走り出していた。
芒の中に入ると、黒淵の姿は見えなくなった。
芒を両手で、掻《か》き分けるようにして、走る。
声がした。
「畜生！」
悲鳴のような声であった。
水音がした。
重いものが、水面に倒れ込む音だ。
菊村は、邪魔な竿を捨てていた。
捨てて走った。
芒の中から出た。
山根の淵の水面に、人の身体が浮いていた。
黒淵だ。
黒淵の身体が浮きながら流れてゆく。
迷わなかった。

菊村は、そのまま、水の中へ走り込んだ。

腰ほどの深さの場所であった。

そこから、黒淵の身体を抱き起こした。

岸まで歩いて、草の上に黒淵の身体を横たえた。

仰向けにした途端に、黒淵の口から、水があふれた。

黒淵の眼が開いた。

菊村を見た。

「あんたか」

黒淵が言った。

「掛かったんだ。やつが掛かったんだ……」

魂の抜けたような声で、黒淵はつぶやいた。

黒淵が、まだ、右手に竿を握っていたことに、その時になって、ようやく菊村は気がついた。

「畜生。もう、この夏には、二度と、やつは黒水仙には喰いついてこないだろう。今のが、最後のチャンスだったんだ……」

畜生、と、黒淵はもう一度言った。

黒淵の眼に、涙が溜っていた。

菊村の左手に、糸がからんでいた。

その糸を、菊村はゆっくりとたぐった。

軽かった。

その糸の先に、あの巨鮎が掛かっていたにしろ、すでに、もうその巨鮎は逃げてしまっている。

「掛かったんだ。やつが、今、掛かってたんだ……」

黒淵のつぶやきを聴きながら、菊村は糸をたぐった。

手元に、糸の先が引き寄せられてきた。

そこに、まだ、切れずに残っているものがあった。

——黒水仙。

黒淵が、死んだ妻の陰毛で造った毛鉤であった。

それが、今、菊村の左掌の中にあった。

陰《かげ》水《すい》仙《せん》

1

バスの震動が、小刻《こきざ》みに菊村の身体を揺すっていた。

道路の小さな凹凸までが、シートに触れている尻と背から伝わってくるようであった。

窓の外には、初めて見る街の風景が動いている。

——松本市。

小田原を出てから、五時間余りであった。

小田急線で新宿へ出、新宿から特急のあずさに乗ってこの松本までやってきたのである。

九月の半ばを過ぎているというのに、周囲を山に囲まれているためか、思ったよりも大気の温度は高かった。

バスは、浅間温泉に向かっていた。

そこには、あの浅川善次が住んでいる。

その善次に会うために、菊村は、わざわざ小田原からここまで出てきたのであった。

「菊さん、本気かね」

そう言った梶尾源治の言葉が、まだ菊村の耳の奥に残っている。

菊村が〝鮎源〟に出かけて行ったのは、昨夜のことである。

梶尾に会うためであった。

「浅川善次さんの連絡先を教えてもらえませんか」

出てきた梶尾に、菊村は言った。

「それはかまわないが、どうしてだね」

梶尾が不思議そうな顔をして訊《き》いてきた。

「会いたいんです」

「会う？」

「鮎の釣り方を教えてもらいたいんです」

「鮎の？」

まだ、梶尾には、菊村の言うことが、よく呑み込めてはいないようであった。

「しかし、善次が住んでるのは、信州の——」

「松本でしょう。こちらから松本まで、浅川さんを訪ねてゆくつもりです」

「鮎のことで？」

「ええ」

うなずいた菊村を、しげしげと見つめて、〃本気かね〃と梶尾が言ったのである。

その言葉が、あずさに乗っている時も、度々《たびたび》、菊村の耳に蘇《よみがえ》った。

——本気なのか。

それは、自問の言葉でもあった。

本気なのか。

たかだか鮎のことで夢中になり、仕事まで放り出して、この松本までやってきてしまう自分が不思議であった。

以前のおれは、こんなではなかったはずだ。

そう思う。

そう思うと、

〃あんた、おとなしそうな顔してる癖に、結局、おれたちと同じ人種だったってことだよ〃

黒淵に言われた言葉が耳に蘇ってくる。

〃同じ人種〃というのは、つまり、黒淵と同じように、鮎のことで身を滅ぼしてしまうような人種という意味である。

黒淵のその言葉を否定しきれない。

自分は、もともとそういう人種だったのではないか。そうでなければ、何故、こんな所までやってくるのか。

黒淵に対する義理だてではない。

いや、そういうこともむろんあるのだろうが、自分のために、おれはしているのだと菊村は思う。

だが、自分のどういうためであるというのか。単に自分のためというなら、家でおとなしく店番をしているのがいいに決まっている。

いや、そうではない。

そうではない。

やはり、これは自分のためなのだ。

自分を納得させたくて、おれはこういうまねをしているのだと、菊村は思う。

では、何を納得させたいのか。

わからない。

わからないから、こんなところまで来てしまったのだ。

ようするに——

と、菊村は思う。

ようするに、おれは、あの鮎に憑《つ》かれたのだ。

そうでなければ、おれが、あの鮎に憑いたのだ。

憑く。

そう考えればわかる。

おれはあの鮎にもの狂いしているのだ。

松本へゆく――

そう言った菊村に、妻はもう、あきらめたように溜め息をついただけであった。

水中で、巨大な鉈《なた》を斜めに寝かせたように、横腹を見せて鈍い光を放ったあの鮎の姿が、頭から離れない。

自分も、黒淵も、ついに、これまであの巨鮎を釣りあげることができなかったのだ。

今、黒淵は、病院のベッドの上だ。

白い、暗い病室の中で、黒淵は今頃何を考えているのか。

あの時――

黒淵が、巨鮎を一度は引っかけて釣り落とした日、菊村は、ついに、黒水仙を手に入れたのであった。

黒水仙を、菊村は、黒淵に渡さず、そのまま自分のものにした。

あらためて、手の中の黒水仙を見ると、それは、黒々とした、妖しいまでの鉤《はり》であった。黒淵が、死んだ妻の陰毛から造った毛鉤《けばり》である。

妖しさを通り越して、むしろ、禍々《まが》しいものさえ、その鉤の周囲には漂っているようであった。

その鉤に比べたら、菊村が見よう見真似で造った鉤は、ひと目でまがいものとわかるものであった。まったく別の鉤だ。

〝この鉤でなきゃあ、釣れねえよ〟

黒淵の自信が、今はわかる。

その黒水仙を手にして、菊村がやったのは、それであの巨鮎を釣ろうとしたことであった。

山根の淵に通った。

しかし、もう、二度と、あの巨鮎はその鉤に喰いつこうとはしなかった。

何度か、シュノーケルを付けて潜ったが、水中の岩に、あの大きな喰《は》み跡《あと》がまだ残っているのを確認しただけであった。古い喰み跡に混じって、新しい喰み跡もあった。

あの鮎は、まだ、あの縄張りの中にいるのである。

そのポイントを目がけて、何度も、黒水仙を送り込んだ。

しかし、反応はなかった。

だが、浮子下《うきした》を浅くして、やや上流から黒水仙を送り込んでやった時に、何度か、浮子の下の水中に、巨大な魚の影が動くのを見た。

奴であった。

巨大な鮎が、まだいるのだ。

いるのだが、しかし、巨鮎は、もう、黒水仙には喰いついてこないのである。

「チャンスはひと夏に一度だけだ」

と、黒淵は、いつか、菊村に言っていた。

「一度、釣り上げるのを失敗すると、次からは、もう、黒水仙に寄って来はするが、もうその年は二度と黒水仙には喰いつこうとはしないんだよ」

黒淵はそうも言った。

その黒淵の言葉通りであったことを、菊村は、あれからさらに一週間余りも山根の淵に通いつめて、ようやく理解したのであった。

巨鮎は、明らかに、黒水仙に向かって反応を見せる。

特に、その日最初に出した竿の場合は、その動きが顕著であった。

浮子下を浅くとって、ポイントに黒水仙を落とすと、巨大な魚影が、水の深みから姿を現わし、腹を鈍く光らせ、反転してまた水の底へ消えてゆくのが見える。

しかし、信じられないほど近くに寄ってはくるが、けっして、巨鮎は、黒水仙を喰わなかった。

菊村が、やつれきった顔で、黒淵の病室を訪ねたのは、昨日のことである。

「前よりも、ひでえ顔になったな」

菊村を見て、黒淵は、力のない声で笑った。

菊村が、答える言葉もなく黙っていると、

「おれの言った通りだったろうがよ」

黒淵が言った。

「言った通り？」

「あの鮎は、二度は、黒水仙に喰いつかねえってさ」

「――――」

「やったんだろう？　おれの黒水仙を使ってよ――」

「はい」

菊村は、返事をした。

「今年は、もう、無理ってことさ。しかし、あんたには、来年また、チャンスがあるが――」

そこまで言って、黒淵は口をつぐみ、顔を歪《ゆが》めた。

「さし込むように、痛みがくるんだよ」

かすれた声で言った。

それきり、ふたりは黙った。

菊村は、黒淵の顔を見ていられずに、顔をそらせた。

長い沈黙があって、

「おい……」

黒淵が声をかけてきた。

「おい」

もう一度言った。

菊村は黒淵を見た。

黒淵が、眼やにの溜った眼で、菊村を見上げていた。

「ちぇっ」

黒淵が、おもしろくなさそうに、小さくつぶやいた。

「どうしました？」

「おれはよ、あんたが、おれの黒水仙を手に入れたこたあ、知ってたんだ……」

「————」

「知ってても、おれはここを動けねえからね。ずっと不安だったんだよ。あんたに、やつを釣り上げられやしねえかってね。やつが、二度は、黒水仙に喰いつかねえというこたあわかっている。わかっちゃいるが、不安だったたんだよ。なんと言ったって、相手は魚だ。人だって、時には気が変わる。やつが、これまでと違って、また、あの黒水仙に喰いつくことだって、絶対にねえとはいえねえからね——」

言って、黒淵は、しばらくの間、呼吸を整えた。

「あんたが、おれんとこへ来ねえうちは、あんたがやつをまだ釣り上げてねえってことだと、何度も何度も、おれは、ここでおれに言いきかせたんだよ。しかし、逆に、あんたが、黒水仙でやつを釣り上げ、おれに気をつかって、ここにやってこないんじゃないかって、そういうことだって考えてたのさ。考える時間だけは、たっぷりあるからよ

「はい……」

「恨んだよ、あんたをね――」

言ってから、黒淵は、小さく首を振った。

「いや、あんたじゃない。なんか、もっと別のものをだ。よくわからねえんだが、きっと、おれは、おれのことを恨んでたんだろうよ。ただ、たまたま、あんたの顔が浮かんでくるもんだから、あんたを恨んでるんだと思っちまったんだろう。本当は、誰を恨む筋のものでもないやね。おれは、おれのせいで、こうなってるんだからね。恨むならおれのことだよ」

「――」

「前にも言ったかね。おれには、もう、鮎しかないんだってね」

「ええ」

「おれはさ、鮎でしくじっちまったんだ。鮎のために、まっとうな極道にもなりそこねて、カミさんまで、鮎のことで死なせちまったんだからよ――」

「――」

「鮎でしくじったかわりに、鮎のことだけは、しくじりたくなかった。鮎のことだけは、きっちり、始末をつけたかったんだ――」

――」

黒淵は、まだ、不思議な生気をはらんだ眼で菊村を見た。

「あんた、鮎以外に、何がある？」

ふいに、黒淵が訊いてきた。

菊村は答えなかった。

「店があって、カミさんがいて、酒を飲みながら、ぐちのひとつも言える友達《ダチ》のひとりやふたりはいるんだろう？」

「――」

「おれは、鮎だけだ。鮎しかないおれが、あの鮎を釣りそこなって、他に色々と持っているあんたがあの鮎を釣り上げちまうなんてことになったら、おれはいったいどうなっちまうんだってておれは思ったよ――」

菊村は黙ったまま、小さくうなずいただけであった。

「馬鹿だな、おれは。なんともつまらねえことばかり言ってるじゃねえか――」

また、長い沈黙があった。

黒淵が、ひとつだけ、咳をした。

「まあ、いいさ。とにかく、おれは、あんたを恨んでるような気分になってたんだ。それが、見当違いの恨みの筋でもね」

黒淵は、窓に眼をやって、それからまた、視線を菊村にもどした。

「それがさ、ここにやってきたあんたの面《つら》を見たら、急に、恨んでいたはずが哀れになっちまったのさ」

それで、先ほど黒淵は、〝ちぇっ〟と舌打ちをしたらしかった。

「哀れ？」

「そんな面で、家の中にいられれたんじゃ、カミさんが辛《つら》かろうよ」

「――――」

「おい」

黒淵が、身体を持ちあげるようにして、声をかけてきた。

「いいかい、あんた。よく聴くんだぜ。あんたに言っときたいのは、鮎とてめえの家とを天秤にかけた時、どっちが重いかってえのは、はっきりしてるってことだ――」

それだけ言い終えると、身体の力が抜けたらしく、また、黒淵の身体が、ベッドに沈んだ。

「おれのような人間が、ふたりもいる必要はねえんだよ」

残った息で、黒淵は、囁《ささや》くように言った。

菊村は、思わず目頭《めがしら》を熱くした。

「その点、梶尾も、浅川も、鮎のことじゃ、うまいこと歳《とし》をとりやがった」

菊村の脳裏にひらめくものがあったのは、黒淵が、何気なく、梶尾と浅川の名を口にしたその時であった。

菊村は、その時、一瞬、魂を抜き取られた人間のような顔つきになった。

「どうした、あんた？」

菊村が、我に返ったのは、黒淵から声をかけられ、さらに数瞬の時間が経《た》ってからであった。

「黒淵さん——」

菊村は、黒淵を見つめ、ゆっくりとした口調で言った。

「何だ？」

菊村に何がおこったのか、まだわかりかねている顔で、黒淵が言った。

「もしかしたら、まだ、あの鮎を釣る方法があるかもしれませんよ」

菊村が言った。

「なに!?」

「あの鮎を釣ることができるかもしれません——」

菊村は、身の内に沸《わ》きあがった興奮を、押し殺すような口調で言ったのであった。

それが、昨日のことだった。

2

浅間温泉のはずれに、浅川善次の家はあった。

バスを降り、そこから美ケ原《うつくしがはら》方面へ向かう坂道を登り、左手の方向へ小さな路地を曲がってゆくと、そこが浅川善次の家であった。

小さな木造の平屋《ひらや》である。

家の周囲に、鳳仙花《ほうせんか》が植えられて、まだ花を咲かせていた。

玄関の左側には、朝顔の鉢植が置かれ、そこから伸びた蔓《つる》が、樋《とよ》を伝って屋根まで這《は》っている。濃い紫の花が、陽差しの中で、すでに半分しおれかけていた。

あざやかな赤をしたカンナの花が、玄関の右側にあった。

夏の風景が、まだその一画にだけ残っているようであった。

しかし、そのささやかな庭の周囲には、すでに芒《すすき》が穂を風に揺らしている。

ほんの数日で、夏と秋とは完全に入れかわってしまうだろう。

「来なさったね」

善次は、柔和な笑顔で、菊村をむかえた。

小柄な身体が、早川で見た時よりも、いく分縮んで見えた。

初老に足を踏み入れかけた、皺《しわ》の多い、どこにでもいそうな男であった。

川で会うのと、こうして本人の家の玄関で会うのとでは、印象が違って見えてしまうことが不思議だった。

梶尾、黒淵、善次、この三人はほとんど年齢は変わらぬはずなのに、皆違う歳のとり方をしている。

「独り暮らしでね」

ぽつりと、善次がそう言ったのは、菊村が家にあがって、麦茶をコップに半分ほど飲み干した時であった。

「息子夫婦は、松本市内に住んでいて、時々遊びに来るんだが、いつもはほとんど独りだよ。元気なうちは、その方が気楽でいい」

——今は、どういう仕事をしているんですか。

危うく、そういう質問が唇をついて出そうになったが、菊村は、その言葉を喉元で止めた。

「今は、この下のね。松乃屋っていう、小さな旅館の番頭みたいなことをしているんだよ——」

菊村が言わなかったはずの言葉が聴こえたように、善次は、自分から仕事のことを口にした。

しばらく、簡単なやりとりがあって、話は黒淵のことになった。

「鮎源から電話で聴いたんだが、平蔵のやつが、入院したんだって？」

善次が訊いた。

「ええ」

「一度、梶尾が見舞いに行ったらしいが、あんまりいい具合じゃないみたいだね」

「そのようです」

「平蔵とは、今じゃ、我々よりあんたの方がつきあいが深いようだね」

「つきあいが深いというほどのことでは——」

菊村は、まだ緊張している自分を意識しながら言った。

また、麦茶を飲んだ。

「ところで、菊村さん。わざわざ小田原からここまで、いったいどういう用件で来なすったのかね」

菊村の緊張を見てとったのか、話のきっかけをつくったのは、善次の方であった。

「はい」

小さく答えてから、菊村は、善次を見た。

「初めて、浅川さんに早川でお会いした時、浅川さんがやっていた釣り方がありましたね。スレで、鮎を釣るあのやり方です」

「ああ、陰鉤《かげばり》を使う、あの釣り方のことかい?」

「その陰鉤釣りを、わたしに教えてもらいたいんです」

菊村は言った。

陰鉤――

基本的には、ちんちん釣りの仕掛けを使うその釣りは、鮎に、毛鉤を喰わせて釣る方法ではない。

ちんちん釣りの仕掛けのさらに下に、もう一本の素鉤をつけて、その素鉤で、ちんちん釣りの仕掛けに使用している毛鉤に寄ってきた鮎を引っ掛けるのである。その毛鉤は、厳密には毛鉤ではない。ベラの皮を細く切って鉤に巻いたものである。そのベラの鉤に鮎が寄ってくるのだ。

寄ってきた鮎が、素鉤のハリスに触れるその魚信《あたり》を浮子《うき》で見、釣りあげるのである。その微かな魚信を浮子でとることと、素速い合わせがポイントとなる釣りであった。

さらに、技術的なことではなく、仕掛けの上で、もうひとつのポイントがある。一番下に付ける、陰鉤に、小さなひねりを造っておかねばならない。ペンチとバイスを使って、鉤をほんのわずかに曲げるのだ。

そうすると、引き上げる時に、鉤が回転して、鮎に掛かり易くなるのである。

〝鮎源〟を造った、梶尾の祖父、梶尾源三が考え出した釣りである。

「陰鉤を?」

善次は、一瞬、どう反応してよいのかわからない様子であった。

「お願いします」

菊村が頭を下げた。

「それは、もちろん、かまわないが――」

少し突然すぎるのではないか――

そういう言葉を、善次は呑み込んだようであった。

いつも会っている、同じ街の釣り仲間に、おまえの釣り方を教えてくれというのとはわけが違う。

一家の主人であり、自分の店も持っている男が、ふいに会いたいと電話をかけてきて、その翌日には、もう、小田原から松本までやってきているのである。その用件というのが、ちょっと変わった鮎の釣り方を教えてくれというのであっては、善次でなくともとまどう。

「それは、もちろん、かまわないが――」

善次は、同じ言葉を繰り返し、

「しかし、どうしてまた、わざわざこんなところまで……」

胸の内を言葉にした。

陰鉤釣りを習得するという、それだけのことに、ここまでする菊村の真意が善次にはわからなかった。

「どうしても、習いたいのです」

「だから、それはどうしてなのかね。さしつかえなければ、話してもらえるかい」

問われて、菊村は眼をふせ、またその眼をあげた。

「陰鉤でなければ釣れない鮎がいるんです。どうしても、その鮎を釣り上げたいんですよ――」

「ほう……」

善次は、まだ、菊村の言うことを呑み込めない様子であった。

「それは、どうも、特定の鮎のことを言っているように、わたしには聴こえるが――」

「はい」

「特定のというのは、一尾のと、そういう意味なのかね」

「はい」

「つまり、菊村さんは、ある特定の一尾の鮎を釣るために、陰鉤釣りを習いたくて、わざわざこの松本までやってきたと――」

「そうです」

「信じられないような話だね」

善次は言った。

ある、特定の、一尾の鮎を釣りたいという発想は、鮎釣りにはない。

釣りの現場へ出かけ、たまたま、ある大石に付いている鮎を見、その鮎を釣ってやろうということはあるが、何日かに渡って、ある特定の個体のみをねらうという発想は、本来鮎釣りにはないものだ。

鯉であるとか、岩魚《いわな》などをねらうのであれば、そういうこともあり得ようが、鮎釣りという釣りの中には、そういう釣りかたは、極めて生じにくい。

特定の鮎をねらうということは、その鮎が、いつも同じ縄張りにいて、それを確認できるということが前提となる。

しかし、いつも、鮎の縄張りは入れかわっており、それに、水中にいる鮎が見えたとしても、特定の個体をどうやって区別するのか。

「できることなら、一週間で、陰鉤釣りの真似ごとぐらいはできるようになりたいんです――」

「一週間——」

「はい」

「それは、つまり、鮎が落ちてしまわないうちにと、そういう意味かね」

「そうです」

「ちんちん釣りを何年かやっていれば、陰鉤の基本はできていることになるが、しかし、あの釣りは、本来は、鮎が一番毛鉤を追う、六月の釣りだよ。それに、鮎の絶対数が多くなければならない——」

そこまで言って、善次は言葉を切った。

菊村を見、また口を開いた。

「——そうか、絶対数も何も、ある特定の一尾を、あんたはねらってるんだったね。しかし、それにしても、スレの感じを浮子で見るには、今の時期より六月の方がいい。鮎を誘うための、微妙な竿の操作もある」

「一週間では無理ですか？」

「いや、単に陰鉤釣りで釣ることができるようになるだけなら、一週間もあれば充分だ。しかし、普通のちんちん釣りと同じ感覚で、ミスなく釣果《ちょうか》を上げられるようになるためには、一週間では無理だ。しかし、きみのねらいが、何尾釣るという釣果にあるのではなく、特定の一尾を釣り上げるということにあるなら——」

「だいじょうぶですか」

「きみしだいさ」

「それから、使うのは、普通のちんちん釣りの竿ではないんです」

「ほう」

「友釣りの竿を使うことになると思います」

「友釣りの？」

善次は、まじまじと、菊村を見た。

「無理だな。友釣りの竿といえば、短くても八メートル。いくら、軽いカーボン竿を使うといっても、とても片手で操作できるものじゃない。両手でスレ合わせのタイミングをとるには、片手の操作に、きみは慣れすぎてしまっているだろう。陰鉤は、最終的には、合わせのタイミングの勝負なんだ。いったい、きみは、どういう釣りをやろうとしているのかね。わたしには、見当がつかない……」

善次は、菊村を見つめながら、腕を組んだ。

「きみがねらってるのは、相当な大物だな」

菊村の様子をうかがいながら、つぶやいた。

「早川なんだろう？」

善次は言った。

菊村は、うなずいた。

うなずいて、善次と視線を合わせた。

善次の眼の中に、それまでになかった光が宿っていた。

「早川なら、竿の長さからして山根の淵か——」

ふいに、善次が言った。

菊村の眼の中に動いたものを、善次は見逃さなかった。

「そうか、なるほど——」

「——」

「何か、こう、急に、あんたの鮎のことを考えているうちに、どきどきしてきたよ。友釣りでなく、浮子釣りで友釣りの竿を使うということは、よほど、釣り人の立つ位置とポイントとの間に距離があるということだ。早川で、そういう場所は、山根の淵しかない。それも、かなりの大物ということだな」

言っているうちに、善次の声が、高くなっていた。

明らかな興奮の響きが、その声には混ざっていた。

「その通りです」

菊村は、うなずいた。

「菊村さん、あんたが釣ろうとしているのは、どういう鮎なんだね」

善次の上半身が、前に乗り出している。

菊村は、眼を伏せ、沈黙し、そして、覚悟を決めたように、また視線をあげた。

「浅川さん。浅川さんは、鮎源で、あの四十センチを越える鮎をごらんになったでしょう？」

　菊村は、堅い声で言った。

「見たよ。みごとな鮎だった」

「あれより大きな鮎を、浅川さんは、これまでごらんになったことはありますか？」

「ないね」

「あれより大きな鮎がいると言ったら、浅川さんは信じますか？」

　菊村は、浅川から視線をそらさずに訊いた。

「信じない――と言いたいところだが、あの大きさの鮎を見てしまった後では、いる可能性は充分にあると思うね」

「いえ、あの鮎より大きいといっても、一センチとか二センチではないのです。十センチあるいは十五センチの単位で、あの鮎よりも大きい鮎のことです」

「まさか――」

　言ってから、善次は、菊村が冗談を言っているのかどうか、確認するように、菊村の顔を見つめ、

「まさか――」

　もう一度言った。

「五十センチから六十センチになるかもしれない鮎がいると、あんたは言うのかね」

「はい」

「それは、あんた、ちょっと、わたしの理解を越えている大きさだね」

「友人からは、それは、身長が四メートルある人間がいるというのを信じろというのと同じだと言われました」

「それはそうだろう」

「でも、わたしは、その鮎をこの眼で見たんです」

「しかし、鮎は、年魚だ。一年でその一生を終える魚だよ。わずか一年で、そんなに大きな鮎が育つのかね」

「一年ではありません」

「なに!?」

「四年か五年、あるいはそれ以上生きている鮎だと思います」

「しかし――」

「琵琶湖の水産試験場では、人工照明を調整することにより、ずっと夏の日照時間を持続してやる実験をしたそうです。そういう環境の中の鮎は、落ちないそうです。夏の日照時間が、秋の日照時間になってゆくと、鮎の体内で特別なホルモンが分泌され、鮎は、錆《さ》び、落ちて産卵活動をするようになるのですが、それを人工的に調整すると、鮎は産卵期をむかえずに、年を越えて生き続けるそうです」

「――」

「九州の試験場では、遺伝子操作で、六十センチ近い鮎も、造られています」

菊村は、まだ、視線を善次からそらさなかった。

「つまり、それは、鮎という生物の中には、年を越して何年も生きる可能性も、体長が六十センチになる可能性も、秘められているということじゃありませんか――」

「――」

「実験室の中で可能なことが、自然の環境の中で、まったくあり得ないということはないと思います」

「可能性については、わかる。しかし、実際に、あの早川に、その大きさの鮎がいて、しかも、きみがそれを見たというのは――」

「浅川さん。浅川さんは、鮎を見間違えますか?」

「――」

「浅川さんでなくても、鮎が好きで、何年も鮎ばかりを釣ってきた人間が、鮎と他の魚とを間違えますか。そういう人間が、ある魚を見て、はっきり鮎だと言っているんです。もしかしたら、とか、たぶんじゃなくて、はっきり鮎だと言っているんです。わたしのことではありません。わたしではなく、別の人間が、はっきり、わたしが見たその魚を、鮎だと言っているんですよ」

「誰かね、その人間は?」

「黒淵平蔵です」

両膝に、両手を置いて、菊村は答えていた。

「平蔵が!?」

「はい」

菊村は、上着のポケットに手を入れて、そこから、小さなプラスチックケースを取り出した。

山女魚《やまめ》や岩魚を釣る、てんから用の毛鉤を入れておくためのケースであった。

その蓋《ふた》を開けて、それを、菊村は、善次の眼の前の、テーブルの上へ置いた。

その中に、禍々《まがまが》しいほどの黒い色をした、一本の毛鉤が入っていた。

「黒水仙という、毛鉤です」

菊村は言った。

善次は、声もなく、その鉤を見つめていた。

鉤の大きさは、山女魚や岩魚用のそれとかわらない。

「これは!?」

やっと、善次がつぶやいた。

「鮎用の毛鉤です」

菊村は言った。

「黒淵平蔵が、それを造ったのです――」

3

川原は、すっかり秋になっていた。

川原一面を、背の高い秋の草がおおっている。夏には、夏の草であったはずの同じ植物が、季節が変わってみれば、秋の草になっている。

陽の、まだ差さない川原には、菊村の他に人の姿は見えない。

草を分けてゆくと、草に宿っている露が、ズボンを濡らしてゆく。ズボンの裾《すそ》が重くなっていた。

ブルドーザーで、苛《いじ》められた川原であった。

春先には、白い石や岩が、ただ一面に転がっているだけの川原であったはずが、今は、一面、秋の草におおわれている。

黒淵流の言いまわしを借りれば、真っ直であった川も、多少の色気が出てきている。

やがて、陽が昇り、風が吹けば、川原一面に、波のように草がうねるはずであった。

今、その草の海は、凪《な》いでいる。

今さらながら、自然の持つ復元力の強さを、思い知らされるようであった。

いったい、人間が、川や、山や、移ろってゆくそういう自然に対して、どれほどのことができるのだろう。

一億年、十億年というスケールで考えれば人のできることというのは、何ほどのこともないのであろう。

しかし——

と、菊村は、朝の大気を深く肺に溜めながら思う。

それは、人ではない、たとえば神だとか宇宙だとか、そういうレベルの時間を見ることができるものの視線で見れば、そうだというだけのことだ。

おれは今、単純に、おれという人間の時間の中に生きていて、この川原の、この風景が好きなのだ。

自然の持つ復元力をいいことに、おれの好きなこの川原が、いいように変えられ、いじくられてゆくのを見るのは、たまらない。

五年やそこらの時間でなんとか復元する場合もあろうが、それこそ、本当に、何十万年という時間を経なければ、復元しない場合もある。

川の周囲や、川の底をコンクリートで固めてゆく工事にまでは、川の復元力は及ばない。そういう工事で、あちこちの川が、封じられ、ただの、水の流れる溝と化しつつあるのを見ることには、たまらないものがある。

もはや、治水《ちすい》の域を越えた工事で、あちこちの川が、上流から下流部まで無残な姿に変えられている。

極道までやったくせに、あの黒淵が、この早川がブルドーザーでほじくられ、真っ直になっているのを見、少年のように怒り、泣いたりしたのだ。

「明日、行きます」

黒淵に、そう告げたのは、昨日であった。

黒淵の入院している病院でのことだ。

「やれることは、やりました。明日だめだったら、あきらめるつもりです……」

松本で、二日、浅川善次から、陰鉤釣りの指導を受け、小田原に帰ってからは、早川で一週間練習をしたのだ。

梶尾も、浅川善次ほどではないが、陰鉤釣りはできる。その梶尾からも、やり方を教わったのだ。

「あきらめる？」

「昨日の晩、うちの家内《やっ》に、真面目に泣かれちまったんですよ。最近は、少しどうかしているって。鮎のことで狂っちまったんじゃないかってね。いつもは、恐《こわ》い顔で怒るのに、うちの家内《やっ》、昨夜は泣いてるんですよ。どうしたのかと思ってよくよく話をしてみたら、うちの家内《やっ》、本気で、おれの頭がおかしくなりかけてるんじゃないかと思ってたみたいで――」

黒淵は、くく、と低く笑い声をあげた。

「どっちだか、わかるもんか」

以前より、さらに痩せたくせに、まだ、その眼には生気がある。

「明日、行くのはわかった。おまえさんが、明日の結果で、あの鮎をあきらめるのあきらめねえのというのもいい——」

言って、黒淵は、昏《くら》い光を溜めた眼で、菊村を見た。

「おれを連れてゆくつもりは、あるんだろうな」

菊村に訊いた。

菊村は、静かに首を振った。

「無理を言わないで下さい。そんなことができるわけないじゃありませんか」

「時間を言えよ。時間を言えば、なんとしてでも、この病院を脱《ぬ》け出して、病院の裏で待っている。おめえが、そこまで車でむかえに来てくれりゃいい」

「無理です」

「てめえ、おれをこのまま、こんな所でくたばらせるつもりなのかよ——」

黒淵は、ふいに上半身を起こした。

身体が、小刻みに震えていた。

「そりゃあねえ。そりゃあねえぜ、あんた。おれを、こんな所で、くたばらせねえでくれよ——」

菊村の手をつかんできた。

筋《すじ》ばった、細い指であった。

病人とは思えないほど、その指には力がこもっていた。

「鮎のことなら、死んだっていいんだ。鮎のことでくたばらせてくれよ。死ぬのはしようがねえ。死にたくはねえが、死ぬのはしようがねえ。皆、どうせ死ぬんだからよ――」

黒淵の眼から、驚くほど透明な涙があふれてきた。

「おれは、ゴミだよ。ゴミの中を這いずってきた虫だよ。その虫がゴミの中でおっ死《ち》ぬのは、しかたねえじゃねえか。けどよ、せめて、自分の死に方くらいは、おれに選ばせてもらいてえって、言ってるんじゃねえか!」

叫んだ。

「頼むよ。菊村さん。鮎のことでくたばらせてくれよ――」

すがるように、黒淵は言った。

その時の黒淵の声と、手を握ってきた指の力を、菊村はまだ覚えている。

「歩いたって、独りだって行くからな」

そう言った黒淵に背を向けて、菊村は病室を後にしたのだった。

川原を、山根の淵に向かって歩きながら、菊村は、黒淵のことを考えていた。

黒淵を連れてきてやりたいとは、本気で思ったが、それは、できることではなかった。

芒を分けて、山根の淵に出た。

一瞬、菊村は、そこに黒淵の姿があるかと思った。

しかし、そこには黒淵の姿はない。

山根の淵の水面が、重く光っているのが見えるばかりであった。

ほっとしたような、がっかりしたような気分だった。

まだ、竿を出すには早い時間であった。

あまり眠れぬままに、予定より早く起き出して、家を出たのである。

菊村は、ぼんやりと、芒を背にして、山根の淵の前に立っていた。

いよいよ、最後の勝負になるというのに、実感が沸いてこない。

妙な不安と、もの足りないものがある。

何なのか――

何がもの足りないのか。

そう自問しても、菊村にはそれがわからなかった。

いや、わかっているはずなのに、それを思い出せないのだ。

いらだたしいものをまぎらわすように、菊村は、山根の淵に視線を向けた。

山根の淵は、静かに、しんとその水の面《おもて》を光らせているばかりであった。

その時、ふいに、その不安ともの足りなさの原因に、菊村は思いあたった。

黒淵がいないからだ。

ここに、黒淵がいないから、この不安と、もの足りなさがあるのだ――。

そう思った時、菊村の脳裏によぎるものがあった。

もし、あの黒淵が、病院を脱け出して、今、ここへ向かって歩いている最中だとしたら――。

黒淵のことだ、その可能性は充分にある。

迷ったのは、わずかな時間であった。
竿と荷をそこにおいて、菊村は、再び、芒の中に分け入った。

4

早朝のアスファルトの道を、菊村は、車で走っていた。
風祭《かざまつり》から、市立病院まで、黒淵が利用するに違いないと思われる道であった。
しかし、黒淵の姿は見当らないまま、病院の前に出た。
そこにも黒淵の姿はなかった。
肩に入っていた力が、抜けたような気がした。
そのまま、車を発進させて、早川へもどりかけてから、ふいに、菊村は思い出した。
〝病院の裏で待っている〟
そう言った黒淵の言葉を、である。
病院の裏手の路地へ、車をまわした。
その路地へ入った途端に、菊村は気がついた。
病院の裏手にあたる、電信柱の陰にうずくまっている黒い人影があった。
車を停め、その人影へ、菊村は駆け寄った。
菊村の足音を耳にして、その影が、顔をあげた。
黒淵であった。

「やっと来やがったな、ばか――」

低く、かすれた声で黒淵は言った。

「黒淵さん」

「いいか、てめえ、おれを病院に連れもどそうとしたら、ここで、すぐに舌を嚙み切っちまうぜ」

黒淵は言った。

「むかえに来たんですよ。行きましょう」

「待たせやがって。待ちくたびれて、くたばっちまうところだったじゃねえか――」

黒淵は、小さく笑ってみせた。

5

竿を握った。

緊張が、背を包んでいる。

重いが、まるで、どうにもならない重さの竿ではない。

友釣り用の、中硬の竿だ。

カーボン竿で、八メートルの長さのものに、特別に手を加えて六・八メートルにしたものだ。竿の元から、二本分ははずして短くし、あらたに袴《はかま》をつけたものである。

〃鮎源〃の梶尾が、自分の持っている竿をやりくりして、その竿を造ったのだ。

両手であつかえば楽で、片手でもなんとか短い時間なら、あつかえる重さであった。

バランスも、良い。

陽は、すでに昇っているが、まだ、山根の淵の水面にまでは差してはいない。

風もまだ、動き出す前だ。

ミチイトは、一・五号の一本通し。

その先に錘《おもり》と、ヤマメ鉤を使用した陰鉤が付いている。

ミチイトの先から、陰鉤、錘の順に取りつけられ、そこからさらにその上に黒水仙がある。

浮子《うき》は、魚信《あたり》を正確にとるため、ヘラ用の浮子を、ナイフでさらに細く、短く削ったものを使用している。

考えつく限りの、最善の方法であった。

「いいか、勝負は、最初の、何振りかで決まる。始めから、やつが来ることだって、充分にあるってことを忘れるな」

黒淵が言った。

「はい」

菊村は答えた。

ゆっくりと、水の中へ入った。

ウェーダーを、水の圧力が包んでくるのがわかる。

自分の心臓の鼓動がわかる。
菊村は、ことさらゆっくりと、歩を進めて行った。
すぐに、腰から、胸の高さに水が来た。
その深さがしばらく続き、途中から急に深くなるのだ。
その深くなる手前で、菊村は足を停めた。
黒淵を振り返った。
痩せた黒淵が立って、こっちを見ている。
軽く、左手をあげてみせ、菊村は、また正面を見た。
水面が、ゆるくうねっている。
ちょうどいい場所であった。
ポイントは、すでにわかっている。
その二メートル上流に、仕掛けを落とせばいい。
深く息を吸い込んだ。
軽く振り込んだ。
思い通りの場所に、仕掛けが落ちた。
赤い浮子が、ゆるゆると水面を滑ってゆく。
風はない。
わずかでも、その浮子に変化があれば、素早く合わせねばならない。

浮子は、すっと軽く沈む場合もあれば、小さく揺れるだけの場合もある。

静止するだけの時もあるし、逆に、下流に向かって、流れよりもわずかに速いだけの動きを見せる場合もある。

風に吹かれたのと、区別がつかないほどの動きだ。さらに、水面に小波《さざなみ》があっても、スレの魚信はとりにくくなる。

水面に、小波はほとんどなく、風もないのが幸いであった。

流れてゆく浮子を見つめる。

どういう魚信か、どういうタイミングで合わせを入れたらいいか、そういうことを皆、忘れはててしまったような気分だった。

一度目は、魚信はなかった。

二度目に、来た。

6

動いたのは、ほんの、わずかであった。

上流に向かって、小さく、細いヘラ用の浮子の先が傾いただけであった。

来た。

心臓が跳ねあがった。

その心臓の跳ねあがりと、同時に合わせた。

両手で、合わせていた。

力の入り過ぎた合わせであった。

しかし、合わせたが、動かなかった。

底に沈んでいた、堅い木の根か何かを引っかけたのかと思った。

しかし、そう思ったのも、ほんの一瞬であった。

ぎらり、と、太い鉈《なた》を寝かせたような光が深い水中に見えた。

いきなり、動いた。

糸が疾《はし》った。

糸が水面を切った。

赤い浮子が、水中に引き込まれて見えなくなり、真横——下流に向かって糸が疾ってゆく。

竿が、大きく曲がって満月になった。

しかし、その竿と糸の造る角度が、たちまち広がってゆく。

糸が切れるかと思った。

魚の引きではなかった。

獣が、水中で鉤を咥《くわ》え、走っているようであった。

下流に向かって、菊村は、動いた。

ごつんごつんという手応えが、糸を伝わって、手まで届いてきた。大きな石に糸がからんで、その石が水底を転がりながら流れてゆくような感触だ。

次は、上流であった。

必死で、菊村は上流に向かった。

糞!

と思う。

糸が切れると思った。

もっと太い糸にしておけばよかったか。

そう思ったはずのその思考が、たちまちどこかへ消える。

心臓が、喉をせりあがって、口から飛び出してきそうであった。

〝おれも、観念したよ〟

子供ができた時、そう言った小島の顔が、脈絡《みやくらく》もなく浮かんで消えた。

〝髪ふりみだして、目ェ吊りあげて——〟

本気で小説を書いてみたいと言った、中根の顔が浮かんだ。

そうだ、もう、小島の子供が生まれる頃ではないか。

そんな考えが、切れ切れに頭の中に疾《はし》る。

そういう不思議な意識の動きを、散り散りに霧散させてしまうように、上流の水面から、巨大な魚が、しぶきをあげて躍りあがった。

鮎であった。

やつだ。

次の瞬間、たちまち、深く潜ってゆく。

対岸だ。

背が立たなくなる。

こらえた。

こらえたが、糸がちぎれそうなほどに張っている。

竿の弾力の限界近くまで曲がっているのだ。

寒気《さむけ》に似たものが、背に張りついている。

かろうじて、糸は切れなかった。

前に出た。

水が、首まできた。

ウェーダーの周囲から、たちまち水が浸入してくる。

ウェーダーの上から、ウエストをベルトでしぼっているため、そこから下までは、すぐには水は浸入して来ない。

シャツから染み込んだ水が、じわじわと腰を濡らしてゆく。

足が、水底から離れた。

顔が水中に沈んだ。

水を飲んでいた。

沈んだら、底の石に足が触れた。
その石を蹴る。
顔が水面に出た。
竿は放さない。
何か叫んでいるらしい黒淵の声が聴こえるが、意味などわからない。
流されてゆく。
いや、流されてゆくのか、鮎に引きずられてゆくのかわからなかった。
流されてゆく先には、落ち込みがある。
糸を張った状態のまま、あの落ち込みに入られたら、終わりであった。
しかし、浅くなって、足が、底につくようになっている。
立った。
胸から上が水面に出た。
夢中で、疾ってゆく糸の方に眼をやった。
下流だ。
その、糸の疾ってゆく方向に向かって、水の中を走っている人間がいた。
黒淵であった。
凄い形相をしていた。
黒淵は、攩網《たも》を握っていた。

黒淵は、疾ってくる糸の前に立ちふさがるようにして、攩網を水中に伸ばした。
黒淵のすぐ下流は、落ち込みである。
「あぶない！」
菊村は叫んだ。
強く竿を引いた。
切れた。
その瞬間に糸が切れていた。
しかし、糸にかまってはいられなかった。
「黒淵さん！」
叫んだ
黒淵の姿が見えなくなっていた。
落ち込みの、白い泡の中を、流れてゆくものがある。
黒淵であった。
たまらない恐怖が、菊村の背を貫いた。
水中を流されながら、川底の石を蹴って走った。
竿は、とっくに放している。
落ち込みの泡にもまれて、菊村も流されていた。
流されて、すぐに浅くなった。

立った。
すぐ横手の、岸に近い浅場に、黒淵が、ずぶ濡れになって立っていた。
攩網を、両腕の中に抱え込んでいた。
その腕の中に、巨大な魚がいた。
「黒淵さん！」
菊村は叫んだ。
黒淵に、抱きついた。
抱きついて、そのまま黒淵を引きずるようにして、岸へ向かった。
岸の草の中に、黒淵と一緒に倒れ込んだ。
「やった、やったぜ……」
黒淵は、倒れ込んだまま、呻くようにつぶやき続けていた。
菊村は立ちあがって、黒淵から攩網を取った。
重かった。
信じられないほど重かった。
菊村は、その岸に座り込んだ。座り込んで、魚のいる攩網の先を水につけた。
その攩網の中に、巨大な鮎がいた。
「やったな」
黒淵が、上体を起こして、攩網の中を覗き込んだ。

六十センチはありそうな鮎であった。
喜悦の色が、黒淵の顔に浮いた。
その喜悦の色が、潮をひくように、ゆっくりと、黒淵の顔から消えていった。
「黒淵さん……」
黒淵の変化に気づいて、菊村は言った。
「見ねえ……」
黒淵が低い声でつぶやいた。
菊村は、もう一度その鮎を見た。
「これは——」
菊村はつぶやいて黒淵を見た。
攩網の中にいたのは、老いて、傷ついた鮎であった。
背鰭《せびれ》や尾鰭《おびれ》も、無残なほど、ぼろぼろになっている。
ぼろぼろになったその場所が、何かの病気のように、白くなっていた。
長い間、ふたりは黙ったまま、鮎を見つめていた。
やがて、菊村が、ポラロイドカメラで写真を撮った。
メジャーで計ると、六十一センチ七ミリ、あった。
その作業の間中、黒淵は、黙って鮎を見つめていた。
その作業が終ってからも、黒淵は、黙ったまま鮎から視線を動かさなかった。

黒淵の唇が、一度、何か言いたそうに開きかけ、ためらうようにまた閉じた。

その唇が、もう一度開いた。

「逃がすぜ、こいつをよ……」

ふいに、黒淵が言った。

低い声であった。

「逃がすんですか、これを」

「もんくあるか。今おれが決めたんだ」

強い口調で黒淵が言った。

なんともいえない哀しみが、黒淵の顔にあった。

「逃がすぜ」

もう一度言った。

「はい」

菊村もうなずいていた。

攩網を水中に完全につけ、攩網を動かしてやると、数度、身をゆらめかせ、老いた巨鮎は水中に消えていった。

そこに座り込んだまま、黒淵と、菊村は、いつまでも、鮎の消えた水中を眺めていた。

ふたりとも、無言であった。

水音だけが、聴こえていた。

いつの間にか、風が吹き始め、ふたりの周囲で、波のように秋の草がうねり始めていた。

天が、青々と高い。

憑きものが落ちたように、ふたりは、放心したような顔つきで、その風景の中に座っていた。

絶え間なく、川の瀬音が聴こえていた。

黒淵の短い髪を、風が小さく揺すってゆく。

「いい風じゃねえか……」

ふいに、黒淵がつぶやいた。

「ええ」

菊村が答えた。

黒淵が上着のポケットから何かを取り出した。

ウィスキーの小瓶であった。

「黒淵さん……」

菊村が言った。

黒淵は、かまわずに栓を開けて、ボトルの口に直接唇をあてて、それを飲んだ。

「うめえ」

飲み終えて、大きく息を吐いた。

「いいんですか」

「いいんだ」

つぶやいて、黒淵は、菊村にそのボトルを差し出した。

「あんたも飲《や》りな」

菊村は、そのボトルを受け取り、しばらく黒淵を見つめてから、やはり、ボトルに直接口をあてて、飲んだ。

濃いウィスキーの味が舌を刺した。

熱気が腹の中に生じ、その熱気が天へと背から抜けてゆく。

「川はいいな……」

横手で、黒淵の声がした。

「ええ」

菊村は答えて、眼を川に向けた。

川に無数の小さな光が躍っていた。

その光を眼を細めて見つめながら、菊村は、深く息を吸い込み、それをゆっくりと吐き出した。

これで、今年の鮎は終わったのだ——

菊村はそう思った。

鮎だけではない。

今年の分のエネルギーを、全て、この十数日間で使いきってしまったような気分であった。

そんなに悪い気分ではなかった。

菊村は、視線を横へ向けて、黒淵を見た。

黒淵は、眼を閉じていた。

「黒淵さん」

菊村は、黒淵に声をかけた。

黒淵は答えなかった。

頬を撫でてゆく風を楽しんでいるように、黒淵は、膝を抱えて、眼を閉じたままであった。

「黒淵さん」

ひどく優しい声で、菊村は、もう一度、黒淵の名を呼んだ。

黒淵は、答えなかった。

風の中で、黒淵は眼を閉じたまま、静かに川の音に耳を傾けているようであった。

あとがき

この物語を書き出してから、書き終えるまでに、四年かかった。

「小説現代」に、連作のかたちでぽつりぽつりと書きついでいるうちに、いつの間にか、それだけの歳月が過ぎてしまっていたのである。こうして、本の体裁になるまでの時間を勘定に入れると、足かけで五年になる。

考えてみると、ぼくが鮎釣りにのめり込んでからの年数の、およそ三分の一ほどの時間を、この物語のために費したことになる。

この〝あとがき〟で、色々、書きたいことや言いたいことはたくさんあったはずなのだが、今、頭の中に浮かんでくるのは、シンプルなことばかりである。

水だとか、風だとか、新緑だとか、鮎をつかんだ時に手に残るその匂いだとか、そういうものの色や匂いや感触が、ほろほろと頭の中や指先や素足によみがえってくる。

よい気分なのだった。

各章のタイトルは、ぼく自身がでっちあげたものも含めて、全部毛鉤の名前で統一した。

夢枕　獏

平成元年　三月二〇日　新宿にて

文春文庫

鮎《あゆ》　師《し》

2005年10月10日　第1刷

著　者　夢《ゆめ》　枕《まくら》　貘《ばく》
発行者　庄野音比古
発行所　株式会社　文藝春秋
東京都千代田区紀尾井町3-23　〒102-8008
TEL　03・3265・1211
文藝春秋ホームページ　http://www.bunshun.co.jp
文春ウェブ文庫　http://www.bunshunplaza.com
落丁、乱丁本は、お手数ですが小社製作部宛お送り下さい。送料小社負担でお取替致します。

印刷・凸版印刷　製本・加藤製本　Printed in Japan
ISBN4-16-752814-2